KB219466

잇스토리 영상화 기획 소설

임지현 작가

하늘을 보며 살고 싶어서 강원도로 무작정 이사를 왔다.

자연은 나에게 말없이 많은 것을 가르쳐 주었고 보여주었다.

때로는 평온하고 때로는 무서운 자연속에서 이글을 완성했다.

이끼정원

(본 소설은 영상화를 위해 기획 및 발행된 도서입니다.)

창작공간 잇스토리

<차 례>

1.메아리

추적추적 비가 내리는 어두운 밤, 깊은 숲속. 미래는 산부인과 환자복을 입고 쫓기듯이 숲속을 헤매고 있다. 신발을 신지 않아 발은 온통 흙투성이이다. 무엇엔가 쫓기듯이 뒤를 보며 도망치던 미래는 진흙 웅덩이에 발을 헛디뎌 주저앉고 만다.

그때 멀리서 어린아이의 목소리가 메아리처럼 울려 퍼진다.

“엄마, 엄마~”

섬뜩한 목소리에 미래는 겁에 질려 귀를 막아보지만, 메아리는 점점 더 선명해진다. 진흙에 빠진 발을 빼내보려고 안간힘을 써보는데 그때 발에 무언가가 느껴진다. 설마 하는 마음으로 아래를 내려보자, 토막 난 인형이 진흙탕 속에 뒹굴고 있다. 미래는 놀라서 비명을 지르고 만다,

“악~ 악~”

귓가에는 다시 엄마를 부르는 소리가 들리고 어디에서 들리는지 감을 잡을 수가 없다. 또다시 남자아이의 목소리가 메아리처럼 숲속에 울려 퍼진다.

“엄마, 엄마~”

주위를 둘러보니 나뭇가지에 걸쳐진 다리찢긴 인형이

보이고 다리에서는 빨간 피가 흐르고 있다. 미래는 다시 도망치기 시작한다.

멀리 오두막이 보이고 미래는 그곳을 향해 달려간다. 급하게 오두막 안으로 들어간 미래는 문을 잠그고 주저앉아 한숨 돌리고 그제야 오두막 안의 풍경이 눈에 들어온다. 바둑판 모양의 수납 책꽂이들이 사방에 놓여 있고 책꽂이 사이사이에 토막 난 인형들이 놓여있다. 하나같이 섬뜩한 모습에 피를 흘리고 있다. 어린아이의 목소리가 어디선가 마치 미래를 애타게 부르는 것처럼 메아리친다.

"엄마? 엄마!"

책꽂이 속의 인형들은 모두 몸이 성치 않은 모습이다. 눈이 없는 인형, 다리가 없는 인형, 팔이 없는 인형, 목이 없는 인형. 순간 그 인형들이 일제히 미래를 향해 엄마를 불러댄다.

"엄마~ 엄마? 엄마!!"

섬뜩한 목소리들이 서로 엄마를 외쳐댄다.

공포심에 더 이상 견딜 수 없는 미래는 주저앉아 귀를 막고 비명을 지른다. 순간 정신을 차린 미래는 자신이 악몽을 꾸었다는 것을 알아차리지만 꿈에서 깨어났어도 공포심은 누그러지지 않는다.

수면마취를 하고 분만 대 위에 누워 있는 미래. 갑작

스러운 유산으로 미래가 수술을 받고 있다. 미래의 배 위로 작은 의료용 커튼이 쳐져 있고 의료진들이 질을 통해 유산된 아기를 꺼내고 있다. 미래의 머리에는 캡이 쓰여있고 산소 호흡기를 달고 있다. 미래의 담당 교수 진명호 교수가 간호사에게 묻는다.
"바이털 어때요?"
"95에 60입니다."
진명호 교수는 아무래도 자신과 같이 일해온 장미래 간호사가 여간 걱정되고 신경 쓰이는 게 아니다.
"바이털은 나쁘지 않은데, 생각보다 출혈이 많네. 출혈 많으니까 바이털 잘 확인해 줘요!"
진명호 교수가 간호사에게 한 번 더 확인한다.
"네!"
진명호 교수는 무거운 마음으로 유산된 아이를 꺼내고 잔여물들을 제거하는 수술을 진행한다.
"헤가 11번"
진명호 교수가 수술 도구를 요청하자 간호사가 말없이 도구를 건넨다. 마음이 무겁기는 같이 일해온 간호사도 마찬가지다. 옆에서 수술을 어시하던 1년 차 레지던트가 속상한 듯 말한다.
"교수님, 그동안 헤파린 처방도 잘 나가고 프로게스테론으로 내막도 최대한 안정시켰는데 왜 이런 일이 생기는 거죠? 다른 산모들은 금세 호전돼서 무사히 잘 출산하는데."

진명호 교수가 한숨 섞인 목소리로 대답한다.
"그러게 말이야, 신의 영역이라 해야겠지? 우리는 우리가 할 수 있는 한도 내에서 최선을 다하는 수밖에..."
분위기는 이내 숙연해진다.
진명호 교수가 다른 수술 도구를 요청한다. 간호사가 수술 도구를 건넨다.
"여기 있습니다. 그나저나 장쌤 깨어나시면 진짜 실망하실 텐데 어떡해요."
수술실 안의 모든 의료진이 모두 입을 다문 채 수술을 마무리한다. 진명호 교수는 "수고들 했어요"라는 말을 남긴 채 어두운 표정으로 수술실을 나간다.

수술이 끝나고 희미한 의식으로, 회복실로 옮겨지는 미래가 주변을 둘러본다. 분주히 오가는 사람들의 모습이 희미하게 보이고 의료진들의 말소리, 복도를 지나가는 사람들의 말소리가 메아리처럼 들린다. 미래를 입원실로 옮기는 의료진들이 분주하다.
"잠깐 비켜주세요!"
"침대 지나갑니다."
사람들을 제치고 침대를 옮기는 것이 쉽지 않다. 남자 간호사의 굵직한 목소리가 들린다.
"잠시만요! 먼저 지나가겠습니다!"
미래는 아무도 말해주지 않았지만, 아이가 잘못됐다는 것을 직감하게 되고, 모든 것을 체념한 듯 두 눈을 질

끈 감자 두 눈에서 눈물이 흘러내린다. 미래는 그렇게 모든 것을 포기하고 의료진들에게 몸을 내맡긴 채 눈을 감고 잠이 든다.

2. 결심

병원 화장실에서 두 간호사가 손을 씻으며 이야기를 나눈다.
"이번이 두 번짼가요?"
"뭐가?"
"장 선생님 유산된 거요."
선배 간호사가 거울로 이리저리 얼굴을 훑어보며 대답한다.
"아마 세 번째지? 진짜 안됐어."
후배 간호사는 손에 비누칠을 빡빡하며 남 일 같지 않은 듯 속상해한다.
"그러니까요. ER(응급실)에서 3년이나 일하시더니 몸이 많이 약해지셨나 봐요."
"툭하면 밤새니까 어쩔 수 없지."
"전요, ER(응급실) 가라고 하면 그만둘 거예요."
선배 간호사는 물 묻은 손을 탁탁 털고 티슈로 손을 닦으며 후배를 쳐다보며 이야기한다.
"진짜? 막상 그렇게 안 될걸?
간호사들이 나가자, 용무를 마친 미래가 힘없이 나와 손을 닦는다. 무언가 결심한 듯 거울에 비친 자신을 바라보며 한숨을 크게 쉰다.

힘겹게 병실로 돌아온 미래는 침대에 누워 천장을 바라보다가 힘겹게 일어나 사물함 서랍을 연다. 그곳에서 미리 작성해 놓은 사직서를 꺼내 손에 쥐고 한참을 바라본다.

퇴원을 위해 사복을 갈아입은 미래와 진 교수는 아무 말 없이 진료실 창밖을 바라본다. 응급실 앞에 구급차들이 줄을 지어있다. 아무래도 누가 급하게 사고로 실려 오는 모양이다. 둘은 아무 말도 없이 창밖으로 그 상황이 정리될 때까지 바라본다. 미래가 정적을 깨고 입을 연다.

“교수님, 그동안 감사했어요.”

그때 진명호 교수가 미래 쪽으로 몸을 돌리며 어깨를 토닥인다. 그래 장 선생 고생 많았어. 나도 최선을 다 했는데, 사람 일이라는 게 참... 진 교수는 자기 잘못인 양 미안한 듯 고개를 숙인다. 미래 그런 교수 앞에서 애써 밝게 웃어 보인다.

“아니에요, 교수님. 쉬면서 몸 회복되면 좋은 소식 있을 거예요. 그때 우리애기 교수님이 꼭 받아주셔야 돼요.”

진 교수도 애써 미소를 지으며 이야기한다.

“그럼, 당연하지. 장 선생! 마음 편하게 가지고,
몸부터 추스르도록 해.”

“네~ 교수님.”

분주한 병원의 환자들 사이로 미래가 진료실에서 나온다. 바쁜 와중에 미래의 퇴원 일정에 맞춰 올라온 남편 준서가 의자에 앉아 있다가 미래가 나오자, 짐가방을 들고 일어선다. 산부인과 간호사들도 미래와 인사하기 위해 일어선다. 선후배 간호사들이 저마다 미래를 위로하며 인사를 나눈다.

"장 선생님, 그동안 고생 많으셨어요."

선배 간호사는 의연한 모습으로 미래의 손을 잡으며 미래를 격려한다.

"선생님! 아무 생각 말고 그냥 푹~ 쉬어! 맘 편하게 먹어요. 다 잘될 거야."

미래도 미소 지으며 손을 맞잡고 답례를 한다.

"고마워요~쌤."

그동안 미래를 기다리던 남편 준서도 간호사들과 목례한다.

미래가 준서의 차를 타고 퇴원한다. 준서는 컨디션이 좋지 않은 미래의 눈치를 살피며 라디오 채널을 이리저리 돌려본다. 미래는 아무 표정 없이 창밖을 응시한다. 불안한 준서는 망설이다가 입을 연다.

"미래야. 나는 애기 없이 그냥 살아도 돼. 뭐냐, 그 현준이 알지? 걔 어린 나이에 사고 쳐서 결혼한 걔. 지금 엄청 고생한다. 자식이 아니라 웬수래 웬수!"

미래는 준서의 말을 들었는지 말았는지 아무 호응이

없다. 준서는 또다시 미래의 눈치를 살피다가 어렵게 입을 연다.
"나는 말아야... 아니, 이러다가 당신 진짜 몸 상할까 봐 그래. 뭐 자식 그까짓 거 뭐 없으면 어떠냐? 우리 둘이 알콩달콩 뭐... 해외여행 다니면서... 그.... 그렇게 즐기면서 살면 되지. 안 그래?"
준서가 운전하면서 연신 미래의 눈치를 살피는데 미래가 무표정한 얼굴로 입을 연다.
"이사 가자."
준서는 이사 가자는 미래의 갑작스러운 말에 운전하다 놀라서 차선을 잘못 들게 되고 차가 비틀거린다.
"뭐? 이사 가자고? 직장은 어떡하고?"
"사표 썼어. 상의 못해서 미안해. 좀 쉴려구... 나이트도 나이 드니 힘들고..."
체념한 준서는 마땅히 해줄 말이 없다.
"그래, 잘했어. 나한테 미안하긴 뭐가 미안해."

준서와 미래가 탄 차가 아파트 지하 주차장으로 들어선다. 며칠 비워두었던 집에 도착한 준서는 짐을 들어 나르고 미래는 그동안 쌓인 우편물을 하나하나 확인하며 엘리베이터를 탄다. 아파트 현관에 다다르자 문 앞에 작은 택배 상자가 놓여있다. 준서는 양손 가득 병원에서 가져온 짐을 들고 현관문을 들어오고, 미래는 작은 택배 상자를 집어 들고 집안으로 들어선다. 순간 상자 밑에 끈적끈적한 액체가 묻어있는 것을 발견한다. 불쾌한 듯 손을 살핀다. 미래는 식탁 위에 택배 상자와 우편물을 대충 올려놓고 냉장고를 열어본다. 며칠 집을 비워서인지 냉장고에 먹을 게 별로 없다.

준서는 짐을 대충 던져놓고 샤워를 시작한다. 미래는 얼마 전 사다 놓은 요플레를 꺼내어 먹으며, 식탁에 앉아 우편물을 하나하나 뜯어본다. 자동차세, 자동차 속도위반 과태료, 아파트 관리비, 청구서 등이 있다. 요플레 수저를 입에 물고 택배 상자의 테이프를 뜯어본다. 순간 미래는 깜짝 놀라 비명을 지르며 택배 상자를 던진다. 그 안에는 로드킬 당한 새끼 고양이의 사체가 담겨있다.

짐을 풀 겨를도 없이 준서와 미래는 경찰서 지구대에 앉아 있다. 경찰은 타이핑 하면서 준서에게 묻는다.

"저번에도 비슷한 사건으로 신고를 하셨네요? 혹시 짐작 가시는 사람 없습니까? 원한 관계라든지, 채무 관계라든지, 아니면 뭐 치... 정?"

앉아서 진술하던 준서는 '치정'이라는 말에 화가 나서 책상을 치며 벌떡 일어나 소리친다.

"아니, 그럼 내가 바람이라도 났다 이겁니까? 이 양반이 지금 큰일 날 소리 하고 있네!"

준서의 목소리가 커지자, 경찰이 준서를 진정시킨다.

"아, 선생님 일단 진정하시고요. 앉으십시오. 그런 뜻이 아니라, 혹시 원한을 살만한 사람이 있냐고 지금 그걸 여쭤보는 거잖습니까, 예?”

준서는 답답한 듯 자기의 가슴을 치며 항변한다.

“아, 그러니까 몇 번을 얘기합니까. 없다구요. 없어요. 누구한테 돈 떼어먹은 적도 없구요, 바람핀 적도 없구요. 글쎄, 없다구요.”

준서의 옆에서 넋 놓고 앉아 있던 미래가 체념한 듯 일어서며 경찰에게 말을 건넨다.

“저기... 저희 이만 가볼게요. 저번에 신고한 기록도 있으실 테니까, 수사에 진전이 생기면 연락주세요. 가자, 여보.”

답답한 준서는 하루 종일 피곤했을 미래를 생각하며 미래를 따라나선다.

준서와 미래가 잠을 청하며 침대에 누워있다. 미래는 옆으로 누워 팔베개를 하고 도대체 누가 왜 이런 짓을 벌이는지 생각하다가 준서에게 말을 건넨다.

“자기야, 아무래도 같은 사람 같지? 저번에 목 없는 인형 보낸 사람 말이야...”

준서가 아무런 대답이 없자 미래는 침대에서 몸을 뒤척이며 등을 돌려 준서를 바라보며 다시 말을 건넨다.

“그런 거 같지 않아? 근데 도대체 원하는 게 뭘까?”

준서가 대답이 없자 미래는 몸을 반쯤 일으켜 준서를 바라본다. 피곤한 하루였는지 준서는 입을 반쯤 벌린 채 잠들어있다. 미래는 낙심한 듯 다시 등을 돌려 팔베개를 하고 눕는다. 좀처럼 잠이 오지 않는다.

조금 뒤 준서의 핸드폰에서 진동 소리가 울린다. 미래는 몸을 일으켜 핸드폰을 확인한다. 한 줄 알림창에 메시지가 보인다.

'지호; 자요?'

메시지를 확인하려 핸드폰 잠금을 풀어보려 해보지만, 지문인식을 요구하는 화면이 뜬다. 또다시 메시지가 온다.

'지호; 벌써 잠든 거예요?'

미래가 어이없는 표정으로 전화기와 남편의 얼굴을 번갈아 쳐다본다. 어쩌면 경찰서에서 준서가 그렇게 화낸 까닭이 정말 내연녀가 있기 때문은 아니었을까 상상해 본다.

3. 엄마

준서는 엄마의 일을 상의하기 위해 형의 직장인 호텔 레스토랑으로 향한다. 레스토랑으로 들어온 준서는 입구 쪽에서 형을 찾는다. 형과 눈이 마주치고 손을 흔들며 반가워한다.
“내가 바쁜 시간에 온 거 아닌가?”
“잠깐 시간 돼. 오늘 중요한 손님들이 행사가 있어서 여러 가지 신경 쓸 게 많아.”
“높으신 분들?”
준서의 말에 준기가 웃으며 받아친다.
“응, 맞아. 높으신 분들이 찾아주셔야 이형도 실적이라는 게 올라가지 않겠니?”
“그럼, 오늘 바짝 긴장해야겠네?”
“준서야, 너 배운 사람들이 까탈스러울 거 같지? 근데 반대다. 사람들이 좀 여유가 있다고 해야되나? 그건 그렇고 제수씨는 좀 어때? 상심이 크지?”
준서는 착잡한 듯 차를 한 모금 마시며 대답한다.
“나는 애기 없어도 괜찮다고 그냥 우리 둘이 즐기며 살자고 그렇게 말해도, 처음엔 알았다고 하다가도...포기를 못 하네. 이번에 그렇게 잘못되고 나서 아주 직장까지 그만뒀잖아.”

“뭐? 그 좋은 직장을 그만뒀다고?”

준기가 놀라 묻자 체념한 듯한 표정으로 답한다.

“그것뿐이면 괜찮게? 아주 시골로 이사도 가시겠대요~~”

“그래? 정말로 아기를 원하는구나!”

준기가 준서의 어깨를 툭 치며 위로한다.

“네가 좀 힘들어도 제수씨가 하자는데로 해. 나중에 후회 남지 않게...”

“내가 뭐 선택권이 있나...”

준서는 화제를 바꾸려는 듯 자세를 고쳐 앉으며 엄마 이야기를 묻는다.

“그래서 엄마 핸드폰은 다시 했다는 거야?”

준기는 창밖을 보며 씁쓸한 표정을 짓는다.

“엄마가 아무래도 혼자 계셔서 외로워서 그런지 누구한테 전화가 오면 그렇게 시키는 대로 다 한다. 이번에는 카드 대출을 받았더라구.”

“그게 가능해? 엄마 직업도 없는데?”

“그러니까 나쁜 놈들이라는 거지. 어제 이것 때문에 바빴다. 카드 대출 취소하고 핸드폰 번호 바꿔서 다시 개통하고.”

준기는 쇼핑백에 들어있는 새로 가입한 핸드폰을 식탁 위에 올려놓으며 준서에게 당부한다.

“이번에 가면 엄마한테 단단히 잘 설명해 드려 알겠지? 이번이 도대체 몇 번짼지...”

"알았어, 형. 내가 잘 얘기할게. 형도 바쁜데 이제 일어나야겠다. 다음엔 같이 가."
"그래 그러자."

바다가 보이는 풍경의 낡은 옛날 기와집. 앞마당과뒷마당에 크고 작은 돌들이 놓여있고 돌들은 온통 이끼로 덮여있다. 준기, 준서의 엄마인 은옥은 화상을 감추기 위해 얼굴에 스카프를 둘둘 매고 있다. 누가 있거나 없거나 버릇이다. 어디서 주워 왔는지 돌에 이끼를 정성스럽게 덮어주고 있다.
준서는 새로 산 핸드폰이 들어있는 쇼핑백을 들고 마당으로 들어온다. 그사이 더 늘어난 돌들을 보며 깜짝 놀라 주춤하다 어수선하게 널린 돌들을 손으로 가리키며 버럭 화를 낸다.
"엄마 이게 다 뭐야? 귀신 나오겠어요! 어우~ 좀 치우고 살어!"
속상한 준서는 핸드폰이 든 쇼핑백을 툇마루에 올려놓고 벌러덩 드러눕는다.
은옥은 언제나처럼 얼굴을 스카프로 둘둘 둘러메고 불만스럽게 이야기한다.
"뭐가 어떻다고 야단이야? 이쁘기만 하구먼. 니가 몰라서 그래 이눔아. 이 돌들이 얼마나 햇볕에 고생하는 줄 알아? 이렇게 이끼로 덮어줘야 돌들이 편히 쉴 수 있지 안 그래? 넌 다 큰 놈이 그것도 말해줘야 아냐?"

툇마루에 벌러덩 누워있던 준서는 반쯤 몸을 일으키며 엄마가 그사이 더 심해진 건가 하는 의심스러운 눈초리로 쳐다본다.

"엄마... 엄마... 괜찮아?"

은옥은 준서의 말을 듣는 둥 마는 둥 이끼를 다듬느라 여념이 없다.

"이 이끼가 없으면 어떻게 할려구 저눔의 시끼가."

준서는 이미 체념한 상태다.

"알았어요, 알았어. 여기 핸드폰 가져왔으니까 잘 받고... 아니, 모르는 사람은 받지 말고 응? 제발 좀 엄마!"

은옥은 준서의 말이 들리지 않는다.

4. 희망 보육원

미래는 이삿짐을 정리하면서 박스에 준서의 짐을 담고 있다. 초등학교 개근상장, 수학여행 사진, 수학 경시대회 상장 등이 있다. 대학 시절 축제 사진, 일하면서 찍은 사진, 결혼식 날 피로연 사진 등을 보며 미래가 추억에 잠기며 미소 짓는다. 그때 무엇인가 문득 생각난 듯 준서에게 전화를 건다.

"여보세요? 어, 자기야 바빠? 아니 다른 게 아니라 우리 이사 가는데 어머님 아버님한테 말씀드려야 하는 거 아니야? 아무리 미국에 계셔도 그렇지, 나 이러다 나쁜 며느리로 찍히겠어. 이사 가면 한번 오시라고 할까? 비행기 오래 타시면 힘드시려나?"

전화기 너머로 일하고 있는 준서의 소리가 들린다.

"괜찮아, 그런 거 신경 안 써도 돼. 내가 다 말했어."

중간중간 직원과 일하면서 대화하는 소리가 들린다.

"뭐? 여기, 여기 있잖아. 다시 한번 돌려보자. 왜 자꾸 에러가 나지?"

미래는 바쁜 준서의 시간을 뺏는 것 같다. 차라리 문자로 보낼걸 하고 후회한다.

"자기야, 많이 바빠? 바쁘면 담에 얘기해."

"응, 그래. 전화할게~"

미처 전화가 끊기기 전에 일하면서 고함치는 소리가 들린다.
“야! 그거 아니야!”
미래는 마음이 편치 않지만, 다시 정리를 계속한다. 좀 쉬려고 일어나는 순간 책상에 걸쳐있던 액자가 떨어져 깨진다. 그것을 줍는 순간 깨진 유리 조각 속 작은 결혼사진 뒤 또 다른 사진을 발견한다. 아주 오래돼 보이는 사진, 남자 어린이 두 명이 희망보육원이라 써진 문패 옆에서 찍은 사진이 있다. 아무리 봐도 준기, 준서가 틀림없다. 숨겨진 사진을 본 미래는 너무나 혼란스럽다. 핸드폰으로 사진에 있는 희망 보육원이라고 쳐보니 전부 5개 정도가 검색된다. 그중 준서의 고향인 경남의 희망 보육원을 눌러본다. 핸드폰으로 희망보육원에 대해 이것저것 검색해 본 미래는 마음이 복잡하다.

포장 이사 중인 미래는 준서와 통화를 하며 인부에게 일을 지시한다. 준서는 미래 혼자 이사하는 것이 마음이 편치 않다. 미래는 전화로나마 애써 준서를 안심시키려 한다.
“괜찮아, 거기서 여기가 얼마나 먼데. 자기가 와도 할 일 없어 포장 이사라. 정리 정돈도 다 해주시고, 마지막에 방바닥 걸레질까지 해주신대. 그러니까 걱정 안 해도 돼. 나도 지금 아무것도 안 하고 있다니까. 응, 알겠어. 그때 봐."
전화를 끊자, 인부가 말을 건넨다.
"두 분이 사시기에는 집이 꽤 넓네요, 사모님?"
"그렇죠? 저도 이렇게 큰 집에서 처음 살아봐요. 음... 책들은 1층 서재로 옮겨 주시고요, 그 옆에 작은 방은 아이 방으로 쓸 거니까 청소 신경 써주세요. 2층은... 음... 게스트 룸으로 쓰려고요. 이브자리 정도만 올려주시고... 소파는 음 저쪽이 낫겠네요."
이삿짐이 계속 들어오고 미래는 이것저것 구상하며 인부들에게 지시한다.

이사를 마친 다음 날 미래는 큰맘을 먹고 준서가 어린 시절을 보낸 경남 희망보육원을 찾아가 보기로 결심한다. 네비에 경남 희망 보육원을 치고 차를 몰아 출발한다.
희망 보육원에 도착한 미래는 주차를 하고 주변을 살피며 조심스럽게 마당을 지나 건물 앞에서 초인종을 누른다. 그때 스피커폰으로 여성의 목소리가 들려온다.
"누구세요?"
미래는 자초지종을 설명하고 희망 보육원에 들어가 선생님을 만난다. 테이블을 사이에 두고 여교사와 마주 앉은 미래는 긴장한 듯 찻잔을 꼭 붙잡으며 눈치를 살핀다.
여교사는 갈등하다 마음먹은 듯 깊이 숨을 들이켜며

말을 이어간다.
"요즘 개인정보보호법이 강화돼서 본인만 열람할 수 있어요. 그리고 가족관계증명서 이런 것도 하나도 소용 없어요... 그리고 원장님이 아시면 저 진짜 짤려요."
미래는 어쩔 줄을 몰라 소파에서 엉덩이를 들썩이며 말을 이어 나간다.
"정말 감사합니다. 정말 다른 일로 그러는 게 아니라 남편이 많이 힘들어해서 그래요. 제가 그래도 명색의 아낸데 뭘 좀 알아야 힘이 되죠... 이 사람은 이런 얘기 아예 안 꺼낼려고하니... 눈 딱 감고 한 번만 도와주세요."
여교사는 미래와 함께 자료실로 향한다.
"오늘 마침 원장님이 안계셔서 찾아드리는 거에요. 다른 사람 귀에 들어가면 큰일 나는 거 아시죠?"
미래가 애써 밝게 웃으며 말한다.
"아이, 그럼요 선생님."
미래는 테이블에 서류를 올려놓고 하나씩 살펴본다. 오래된 서류를 웅얼거리며 읊어본다.
"민준기 12세, 민준서 7세... 아버지는 알콜중독자였네? 가정폭력에... 가만, 그럼 결혼식 때 본 가족은 뭐지?"
서류를 넘기며 진지하게 읽는 미래가 계속 웅얼거린다.
"집안의 화재로 아버지는 병원으로 옮겨졌으나 일주일 만에 사망? 엄마는 3도 화상으로 치료를 받다가 재활 병원으로 보내짐..."

그때 서류 속에서 사진 한 장을 발견한다. 집에서 본 사진과 같은 준기와 준서의 빛바랜 사진이다.

미래는 놀라서 눈이 커지고 만다.

미래는 준서와 준기의 어린 시절이 과연 어땠을지 상상해 본다.

준서와 식구들이 둘러앉아 삼겹살을 구워 먹는다. 고기 구경을 못 한 지 오래다. 누가 봐도 낡고 가난한 집안 풍경이다. 준서의 아빠 병수는 이미 소주를 세 병이나 마신 상태다. 바닥에는 소주병이 세 병이나 나뒹굴고 있고 벌써 4병째 소주를 마시고 있다. 술에 잔뜩 취한 아빠가 횡설수설한다. 엄마와 준기는 눈치를 보며 삼겹살을 먹고 준서는 아무것도 모른 채 형 옆에서 맛있게 고기를 먹는다.

그때 뭔가 불만에 찬 목소리로 아버지 병수가 준기를 노려보며 호통을 친다.

"너, 이 자식 공부한 공책 가지고 와봐! 내가 오늘 검사 좀 해야겠다."

어린 준기는 얼어붙은 채로 위축된 모습으로 낡은 공책을 가져오고 병수는 취한 눈을 부릅뜨며 노트를 이리저리 살피다 냅다 소리를 친다.

"너 이 새끼 내가 이럴 줄 알았어. 글씨가 이게 뭐얏! 아주 정신상태가 썩었어. 이 개눔의 새끼 니 애비는 말이야 어? 밖에 나가서 얼마나 뺑이치는 줄 알고 이따위로 공부하는 거야? 너 오늘 잘 걸렸다. 가서 몽둥이 가져와! 내가 오늘 아주 본때를 보여주겠어!"

집안 분위기는 더욱 위협적으로 변해가고 아버지가 소리칠 때마다 준기는 놀라서 몸을 움찔거린다. 엄마 은옥은 용기를 내어 병수의 팔을 잡고 말려본다.

"여보, 이제 그만 마시고 자요. 애들도 내일 학교 가야지. 준기야 어서 들어가서 잘 준비해 어서."

그때 병수가 은옥의 뺨을 냅다 갈기며 술에 취해 막말을 내뱉는다.

"뭐야 이 여편네가, 니년이 이따위니까 애새끼들이 정신을 못 차리는 거 아니야."

은옥은 병수의 폭력에 나동그라지고 병수는 그 자리에서 일어나 은옥에게 발길질을 하며 욕을 퍼붓는다.

"야, 이 좆같은 년아! 니년 때문에 내가 되는 일이 없어."

계속되는 병수의 발길질에 은옥은 기어서 도망치려 하지만 병수는 발길질은 멈추지 않는다. 그 모습을 지켜보던 준기는 무언가를 결심한 듯 두 주먹을 쥐고 부들부들 떨다가 준서의 두 어깨에 손을 얹으며 말한다.

"준서야, 방에 들어가 있어."

준서는 매 맞는 엄마를 보다가 겁에 질려 형 뒤로 숨는다.

"형! 무서워."

준기는 준서를 안심 시키려 한다.
"형이 지켜줄게, 걱정하지 말고 방에 들어가 있어 알았지? 형이 나오라고 하면 그때 나오는 거야!"
준서가 울먹이는 얼굴로 고개를 끄덕인다. 준기는 엄마를 때리고 있는 아빠의 뒤에 서서 가만히 지켜보다가 불이 붙은 버너를 엎어버린다. 종이컵에 담긴 돼지기름이 쏟아지며 불이 붙지만, 그것을 모른채 병수는 아내에게 계속 욕하며 폭력을 행사한다. 불이 번져 커튼으로 옮겨붙는다.
은옥은 얼굴이 피투성이가 된 채 집에 불이 난 것을 알아차리고 외친다.
"불이야! 사람 살려. 억~~불 부~ 불이야 ~~!"
은옥이 큰 소리로 외쳐보지만 불은 점점 더 크게 번져 천정까지 타기 시작하고 병수는 옷에 불이 붙은 채로 취한 몸을 가누지 못한다. 그때 준기가 방으로 뛰어들어가 준서의 손을 잡는다.
"준서야 나가자! 어서 형 손 꼭 잡아."
준기는 준서의 손을 잡고 마당에 서서 불타는 집을 바라보며 분노에 찬 얼굴로 눈물을 흘린다. 멀리서 사이렌 소리가 들려온다. 소방차가 도착하고 소방관들이 분주히 움직인다. 동네 사람들이 나와 이 광경을 보고 서로 안타까워한다. 희미하게 울려 퍼지는 주민들의 목소리가 메아리처럼 울린다.
"빨리 좀 도와주세요~ 저기 안에 사람이 있어요. 아휴

어쩌면 좋아! 이러다 사람 죽겠네!”
비참한 장면들이 점점 멀어져 간다.

똑똑 노크 소리에 미래가 깜짝 놀란다. 문이 열리며 보육원 선생님이 들어온다. 보육원 교사가 자료들을 주섬주섬 모으며 말한다.
“이제 정리해야 될 거 같아요. 조금 있으면 원장님 오실 시간이거든요.”
“네... 선생님, 눈치 없이 제가 너무 오래있었죠?”
미래는 집으로 돌아가기 위해 보육원을 나오고 보육교사가 배웅을 한다. 미래는 배웅을 받으며 걸어 나오다가 마당에서 노는 아이들 중 우울하게 앉아 있는 아이를 발견한다. 걱정스러운 목소리로 선생님에게 묻는다.
“선생님, 저기... 저 아이는 같이 놀지 않고 앉아서 땅만 파고 있네요?”
“아~ 처음 오면 원래 다들 저래요. 아무래도 적응 기간이 필요하죠.” 보육원 교사는 대수롭지 않게 대답하며 아이에게 다가가며 다정하게 말을 건넨다.
“희정아~ 뭐 하고 있어? 이리와 선생님이 안아줄게.”
하지만 희정은 대꾸도 하지 않고 쳐다보지도 않고 땅에 그림을 그리고... 미래는 그 모습을 안쓰럽게 바라본다.
보육원에서 집으로 돌아가는 미래의 차 안에서 미래

와 진주가 스피커 폰으로 통화한다.
“그럼, 결혼식에 왔던 식구들은 누굴까?”
“딱 봐도 사람 샀네. 하객 알바 말이야. 네 신랑 왜 이렇게 비밀이 많니?”
“좀... 어색하긴 했어. 결혼식 날... 그럼, 엄마는... 살아있는 거 아니야?”
“미래야, 지금 그게 중요한 게 아니야!”
“그게 중요한 게 아니라고? 그럼, 뭐가 중요한데?”
“이건 내 촉인데 아무래도 여자가 있는 것 같애.”
“정말? 에이... 설마.”
“야, 이 바보야! 맨날 출장이라고 니네 신랑 한 달에 며칠이나 집에 있니?”
“너도 그렇게 생각해? 아니, 사실은 저번에 글쎄 밤에 지호라는 여자가 문자를 했더라고.”
“지호? 그 여자가 뭐라고 보냈는데?”
“벌써자냐고.”
“야~ 이 병신아! 아... 미안 욕해서 미안, 근데 아니 그걸 그냥 냅뒀어?”
“아니... 나도 이상하긴 했지... 근데 뭐라고 해.”
진주가 집에서 요리를 하면서 진주와 통화를 하고 있다. 거실에서는 실내복을 입은 아이 둘(8세 오빠와 6세 여동생 남매)이 만화를 틀어놓고 블록 놀이를 하고 있다. 부엌에서 아이들 저녁을 준비하면서 전화를 받는 진주가 한 손에는 뒤집개를 들고 요리하며 한쪽 귀로 전화를 받고 있다. 뒤집개를 내려놓고 전화를 다른 손으로 바꿔 받는다. 한 손은 화가 난 듯 허리에 걸치고 아이들을 바라보며 통화한다.
“그러니까 미래야, 잘 들어. 현장을 잡으라고 현장을. 그러니까 그 지호라는 년이 너랑 신랑 사이 갈라놓으려고 그러는 거 아니냐구. 딱 봐도 그렇지 않아? 왜 너한테만 그런 걸 보내겠니?”
“음... 그럼 어떡해?”
“어떡하긴 뭘 어떻게 해. 주리를 틀어야지. 아니, 일단 빼도박도 못하게 현장을 잡자! 사람을 붙이던가 뒤를 밟든가 해야지. 같이 가줘?”

보육원에서 집으로 돌아오는 차 안에서 미래가 진주와 통화를 이어간다.
“아이, 뭘 그렇게까지 해. 바람난 건지 확실하지도 않은데.”
“야! 니 신랑 지금 어디 있어?”
“자세히는 모르는데... 경북 어디라고 했는데...”
집에서 전화 통화를 이어가는 진주는 미래가 답답하기만 하다. 뒤집개를 다시 든 진주 지휘하듯 흥분해서 뒤집개를 들고 휘두르며 흥분하며 이야기한다.
“이거 봐라, 이거 봐. 너 남편이 어디서 뭐 하고 있는지도 모르고 말이야. 니가 이렇게 맹탕이니까 니 신랑이 바람이 나지... 아니, 뭐... 아직 확실한 건 아니지만.

일단, 미리 말하지 말고 있다가 현장을 덮치라고 오케이? 그래야 빼도 박도 못할 거 아니야 어?"

전화 통화를 하는 미래는 이내 걱정스러운 표정을 짓는다.

"야! 나 자신 없어."

이내 진주가 호통을 친다.

"야!"

미래는 정색하며 진주를 안심시킨다.

"알았어. 니 말 다 이해했어. 걱정하지 마."

하루 종일 피곤한 미래는 들어오자마자 거실 소파에 가방을 던지고 소파에 철퍼덕 앉아 몸을 맡기고 천정을 바라본다. 미래의 머릿속에 결혼식 날 어색했던 장면들이 스친다.

5. 가짜 결혼식

5월 어느 화창한 날 준서와 미래의 결혼식이 진행되는 결혼식장, 양가 가족들이 사진 촬영을 한다. 사진 촬영을 마치고 미래의 어머니가 준서의 어머니의 손을 잡는다.

"사돈 어르신! 저희 미래 잘 부탁드립니다. 미래가 그동안 공부만 해가지고 아직 부족한 게 많습니다. 그래도 이렇게 좋으신 분들한테 제 딸을 맡긴다고 생각하니 마음이 한결 놓이네요. 멀리서 오셔서 오늘 너무 애쓰셨어요"

가짜 준서어머니는 어색한 미소로 뒷걸음질 치며 대답한다.

"아... 예... 별말씀을요... 감사합니다. 오늘 고생 많으셨습니다, 사부인."

미래 어머니는 뒤돌아서 황급히 가려는 준서어머니를 잡고 아쉬운 마음에 인사를 건넨다.

"아휴, 사돈 어르신 미국까지 가시려면 비행기를 오래 타셔서 힘드시겠어요. 몇 시간이나 걸리세요?"

가짜 준서어머니는 이 상황이 난처하기만 하다.

"그... 그게... 여보? 우리 미국까지 얼마나 걸리지요?"

가짜 준서 아버지는 어색한 미소를 지으며 대답한다.

"아... 그게... 꽤 오래 걸립니다만... 뭐, 괜찮습니다. 걱정하지, 마십시오."

미래 어머니는 따스한 미소를 지으며 마지막 인사를 한다.

"아... 그렇군요. 그래도 조심히 돌아가셔요. 한국에 오시면 꼭 연락주시고요."

가짜 준서 아버지와 어머니는 어색하게 웃으며 대답하고 뒤돌아 예식장을 빠져나간다.

그 순간 미래는 친구들과 사진 촬영을 하면서 시어머니가 신경 쓰여 그 뒷모습을 바라본다.

6. 미행

미래는 진주의 말대로 준서의 뒤를 캘 생각으로 렌터카를 빌려 경북 공업단지 내 신축 중인 자동차 부품공장 앞에 차를 대고 준서가 퇴근하기만을 기다리고 있다. 준서는 직원들과 아직 공사 중인 공장에서 자동화 기계를 시험 가동하고 있다. 준서는 핸드폰으로 시간을 확인한다. 시계는 오후 6시 10분을 알리고 있다. 얼마 지나지 않아 열댓 명의 직원들이 쏟아져나오고 서로 인사를 하고 헤어진다. 준서는 혼자 차를 타고 어디론가 향하고 미래도 차에 시동을 건다.

준서는 경북 공업단지 근처 빵집 앞에 차를 세우고 빵집으로 들어간다. 얼마 지나지 않아 케이크를 들고 밝은 모습으로 나와 다시 차를 몰고 어디론가 향한다. 뒤따르던 미래도 다시 출발한다.

준서는 이번에는 근처 꽃집 앞에 차를 대고 꽃을 사러 들어간다. 이내 꽃을 한 다발 사가지고 나와 다시 차를 몰고 어디론가 향한다.

차 안에서 준서를 미행하던 미래는 준서의 행동에 당황하여 진주에게 스피커 폰으로 전화를 건다.

미래는 당황한 목소리로 진주와 통화를 한다.

"진주야, 니 말이 맞았어. 여자 있나 봐."
"뭐라고? 잘 안 들려. 애들 좀 조용히 시키고 잠시만…
전화기 너머로 아이들 소리가 들린다.
아이들을 조용히 시킨 진주가 다시 전화를 받는다.
"여보세요? 잘 못 들었어. 다시 말해봐. 어디라고?"
미래는 울먹이며 말한다.
"진주야, 나 어떡해. 이 사람 케이크랑 꽃 사 들고 어디로 가고 있어. 난 지금 뒤따라가고 있고."
진주가 흥분하여 큰소리를 친다.
"뭐? 아니 이 자식이. 내가 이럴 줄 알았다니까. 야! 미래야 너 정신 똑바로 차리고 현장 덮쳐서 사진 다 찍고 증거 확보해! 당황하지 말고 알았어?"
미래는 울먹이며 아이처럼 고개를 끄덕인다.
"응."
준서는 러브미 호텔 앞 주차장에 차를 대고 뒤이어 미래도 차를 댄다. 준서가 밝은 모습으로 케이크와 꽃을 들고 내려서 러브미 호텔로 들어선다.
미래는 차 안에서 그 모습을 바라본다. 곧이어 엘리베이터 문이 열리고 준서가 들어간다. 미래는 차에서 내려 호텔 로비 계단을 마구 뛰어 올라가면서 엘리베이터가 몇 층에서 멈추는지 확인한다. 5층에서 멈춘 것을 확인하고 5층 계단에서 복도를 빼꼼히 쳐다본다. 엘리베이터에서 내린 준서가 복도 맨 끝 오른쪽 방으로 들어가는 뒷모습이 보인다. 미래는 두근거리는 심장을 부여잡고 숨을 가쁘게 몰아쉬며 천천히 오른쪽 끝방을 향해 걸어간다. 자신의 모습을 들키지 않기 위해 문 옆의 벽에 기대서 초인종을 누른다. 곧이어 준서의 목소리가 들린다.
"누구세요?"
미래는 준서의 목소리를 확인하고 놀라서 자신의 입을 틀어막는다. 문이 열리지 않자 울먹거리는 모습으로 한 번 더 초인종을 누른다. 준서가 더 큰 소리로 외친다.
"누구세요?"
순간 문이 벌컥 열린다. 미래는 준서가 다시 문을 못 닫도록 문 사이에 몸을 들이밀며 준서를 노려본다. 준서는 미래를 보고 깜짝 놀라며 말을 잇지 못한다.
"미래야, 너... 여기 ... 어떻게..."
화가난 미래는 준서를 확 밀치며 방으로 향하며 큰 소리로 외친다.
"당신이야말로 여기서 뭐 하는 거야?"
미래가 순간 움찔하며 발걸음을 멈춘다. 호텔 방 안은 이벤트 준비로 분주하다. 풍선과 알록달록한 장식들이 정리 안된 채 널브러져 있고 몸이 비대한 지호는 배가 나온 채 앉아서 풍선을 불고 있다. 테이블 위에는 준서가 사 온 케이크와 꽃다발이 놓여있다. 미래는 방을 이리저리 훑어보고 자신이 오해한 것을 알고 몸이 굳어버린다. 지호는 풍선을 불다 말고 밝은 표정으로 일어서며 미래를 맞이한다.
지호는 어떤 상황인지도 모르고 반가운 표정으로 일어서며 미래에게 꾸벅 인사를 한다.
“형수님? 안녕하세요? 여기까지 와주셔서 정말 감사해요. 김지호라고 합니다.”
준서는 당황한 기색이 역력하여 지호를 보며 얼버무린다.
“어, 지호야 우리 와이프 처음 보지? 야 인마, 너 프러포즈 한다고 내가 진작 전화해서 도와달라고 했지... 그런데 진짜 올 줄은 몰랐네?”
상황 파악을 한 미래는 준서의 눈치를 보며 지호에게 인사한다.
“아... 안녕하세요? 지... 호... 씨?”
지호가 기뻐하며 이야기한다.
“선배님! 형수님한테 SOS 치신 거에요? 역시 선배님밖에 없다니까요. 아무래도 여자분이 더 감각이 있겠죠? 형수님! 그렇지 않아도 이것들 어디에 어떻게 해야 예쁜가 하고 고민하고 있었는데, 여기까지 와주셔서 감사해요.”
미래는 지호와 맞절이라도 하듯 인사를 하고, 장식품들을 주섬주섬 정리하며 바닥에 엉덩이를 붙이고 앉는다.
“지호... 씨? 제가 너무 불쑥 찾아왔지요? 죄송해요.
이리 주세요. 제가 도와드릴게요.”

준서와 미래의 어색한 분위기를 눈치채지 못하는 지호는 자신의 이벤트가 너무나 만족스러워 들뜬 기분을 주체하지 못한다. 지호는 보름달 같은 얼굴로 활짝 웃으며 미래에게 풍선을 건넨다.

"네... 형수님 여기요. 이거 좀 부탁드려요"

지호에게 알파벳 풍선을 넘겨받은 미래는 빨대를 꽂아서 열심히 분다. 지호가 벽에 I LOVE YOU 풍선을 높이 달려고 손을 뻗자, 윗도리가 올라가 지호의 푸짐한 뱃살과 배꼽 주변에 난 털들이 미래의 눈앞에 정면으로 보인다. 미래는 자연스럽게 장식을 꾸며 보지만 지호의 비주얼과 촌스러운 소품들을 둘러보니 한숨만 나온다.

"형수님, 이 풍선 여기가 어울릴까요?"

지호가 투막하고 순진한 말투로 미래에게 묻는다.

"예... 거기가 딱 좋겠네요."

미래 체념한 표정으로 웃으며 대답한다.

갑작스러운 미래의 방문으로 준서는 지호의 옆방을 빌려 미래와 함께 묵기로 한다. 준서는 미래가 자신을 의심한 것에 대해 화가 나 있는 상태다. 준서는 양 허리에 손을 걸치고 창가에 서서 호텔 밖을 응시하고 있다. 준서는 말없이 한숨만 내쉬고 미래는 아무 말 없이 테이블에 등을 지고 앉아 있다.

미래가 먼저 정적을 깨고 짜증스러운 말투로 입을 연

다.
"그래, 내가 말도 없이 갑자기 찾아온 거? 미안해. 근데... 진짜 당신 평소에 연락도 잘 안되잖아! 내가 뭐 괜히 의심한 거야?"
준서도 질세라 뒤돌아서서 화를 내며 억울한 듯 울분을 토한다
"일하니까 못 받는 거지! 시끄러우니까! 전화가 안 들린다고! 나는 뭐 이 생활이 좋아서 이렇게 사는 줄 알아? 집에도 못 들어가고 허구한 날 현장에서 이렇게 사는 게... 넌 편해 보이니? 나도 사무실에 앉아서 편하게 일하다가 칼퇴근하고 싶다고! 그런데 넌 어떻게... 어떻게 날 의심하니? 그러니까 니 말은 내가 애인하고 살림 차리려고, 너한테 협박 전화하고 죽은 고양이나 보내고 그랬다는 거냐고! 대답해 봐!"
준서는 미래에게 실망한 표정을 감출 수가 없다.
"너... 나랑 그동안 무서워서 어떻게 살았냐?"
모든 것이 혼란스러운 미래는 자기 얼굴을 부여잡고 괴로워한다.
"나도 힘들어. 내가 얼마나 불안했는지 알기나 해? 이상한 전화는 계속 오지, 당신은 없지, 연락도 잘 안되고..."
미래는 복받치는 감정 때문에 울먹거린다.
"그래 내가 오해했어, 미안해. 그런데... 그럼, 누가 도대체 왜 그러는 건데? 왜 우리 이렇게 불안하고 무섭

게 만드는 건데…"

눈물을 참았던 미래는 결국 눈물을 터트리고 고개를 숙이고 흐느낀다.

준서는 미래를 측은히 바라본다. 가녀린 어깨, 두 뺨에 흐르는 눈물, 눈물을 보이지 않으려고 손으로 눈물을 훔치는 모습을 보고 화가 누그러진다.

"큰소리쳐서 미안해." 준서가 퉁명스럽게 사과한다.

"미안하다. 나도 모르게 감정이 격해졌네."

미래는 준서의 사과를 듣고 눈물을 훔친다.

준서는 미래에게 다가가 무릎을 꿇고 눈높이를 맞춘다. 미래의 얼굴이 눈물에 젖어있다. 울다가 헝클어진 머리를 매만져 주며 미래를 진정시킨다.

"너랑 살기 싫었으면 헤어지자고 했겠지. 그리고 나 여자 없어. 너밖에 없어. 그러니까 이제 그런 생각 하지마 응?"

미래는 우는 얼굴로 고개를 끄덕이고 준서는 안쓰러운 마음에 미래를 안아준다. 미래도 준서의 가슴에 얼굴을 파묻고 눈물을 흘리다 두 팔로 준서의 목을 감싼다. 준서는 미래가 계속 눈물을 흘리는지 보려고 두 손으로 얼굴을 감싸고 이리저리 확인한다. 준서와 미래는 서로 아무 말 없이 눈을 맞추고 키스를 나눈다.

준서와 미래는 침대 위에서 섹스를 하고 있다. 흥분한 준서는 거친 숨소리를 내며 미래를 애무한다.

옆방에서는 갑자기 지호의 울음소리가 들린다.
"잠깐, 자기야 이거 울음소리 아니야?"
미래가 몸을 일으킨다.
"아무 소리도 안 들리는데?"
준서는 애무를 멈추지 않으며 미래의 말을 무시하며 미래가 아무 말도 못 하도록 키스한다. 얼마 지나지 않아 또다시 지호의 울음소리가 들린다.
"여보, 뭐가 잘못됐나 봐. 자기가 한번 가봐."
미래가 옷을 입을 기세로 몸을 일으킨다.
"별일 없을 거야. 걱정하지 마."
준서가 거친 숨소리로 흥분이 가라앉지 않은 채 섹스를 멈추지 않고 대답하며 미래를 안고 자세를 바꿔 자신의 위로 올리며 미래의 얼굴을 붙잡고 다시 키스한다.

다음 날 아침 셋은 공장 근처 해장국집에서 해장국을 시켜 먹는다. 지호는 어제 실패한 프러포즈 때문에 밤새 울어서 눈이 퉁퉁 부어있다. 얼굴에 살도 많은데 눈까지 부은 채로 고개를 푹 숙이고 해장국을 먹는다.
"지호씨... 괜찮아요?"
미래가 지호와 준서의 눈치를 보며 어렵게 물어본다. 미래의 위로를 들은 지호는 눈물이 핑 돈다.
"내 친구가 이렇게 해서 성공했다고 그랬는데, 괜히 변태 취급만 받았어요."

지호가 눈물을 삼키며 코를 훌쩍인다.
"지호야! 담에는 공원에서 하자. 내가 볼 땐 '러브미 호텔'이게 좀 에러인 거 같다. 우리야 맨날 여기서 살지만, 아가씨 입장에선 또 그게 이상하게 보일 수도 있지 뭐."
준서가 입에 음식을 잔뜩 넣고 숟가락을 지적하듯 흔들며 이야기한다.
"하여간, 요즘 여자들 너~~~무 힘들어. 콧대가 장난이 아니야. 야! 지호야, 그 여자 이뻐?"
지호는 울먹거리며 고개만 끄덕인다.
"이쁘다고? 이쁘면 그럴 수 있지. 그럴 수 있어."
준서는 그새 꼬리를 내리고 다시 국밥을 먹는다.

7. 재회

미래는 여름밤 깊은 숲속을 헤매고 있다. 똑같은 악몽을 반복해서 꾸는 미래. 또다시 병원 임산부 가운을 입은 미래가 맨발로 숲속을 헤맨다. 숲속에 스산하고도 느릿한 남자아이의 노랫소리가 울려 퍼진다.

반짝반짝 작은 별
아름답게 비치네
동쪽 하늘에서도
서쪽 하늘에서도

꿈속의 미래는 노래가 들리는 곳을 찾으려 겁에 질린 채 이러저리 두리번거린다. 그때 여자아이의 목소리가 겹친다. 두 아이의 노랫소리가 울려 퍼진다.

반짝반짝 작은 별
아름답게 비치네
동쪽 하늘에서도
서쪽 하늘에서도

꿈속 미래는 귀를 막고 주저앉아 얼굴을 파묻고 울먹

인다. 그때 바로 앞에 인기척이 느껴져 고개를 드니 눈이 없는 남자아이가 꼿꼿이 서 있다. 놀란 미래는 비명을 지른다.

악몽을 꾼 미래는 식은땀을 흘리며 전화벨 소리에 놀라 잠에서 깨어난다. 미래는 식은땀으로 옷이 젖은 채 누워서 이마에 손은 얹고 전화를 받는다

"여보세요? 어, 진주야"

잠이 덜 깬 목소리다.

"너 여태 잤어? 지금 10시 넘었어! 백수 되니까 좋네 늦잠도 자고... 그동안 잠 못 잔 거 몰아서 자는 거야?"

전화기 너머로 진주의 목소리가 들린다.

"아니야, 일어났는데, 다시 잠들어 버렸네."

미래가 몸을 일으키며 부스스한 머리를 매만진다.

"오늘 약속 알지? 그동안 너 때문에 펑크 난 게 몇 번인 줄 알아? 2시야 2시 잊지 마! 그때가지 올 수 있지?"

"응, 여기 강원도여도 한 시간 반 밖에 안 걸려. 시간 맞춰갈게. 어, 그래 이따 보자."

크리스마스 분위기기가 물씬 풍기는 인테리어와 넓고 천정이 높은 탁 트인 분위기의 커피숍에서 모처럼 미래와 친구들이 모여서 즐거운 시간을 보낸다. 미래도 유산에 대한 아픔을 뒤로한 채 시골로 이사해서 전원

생활을 하며 어느 정도 마음의 안정을 찾은 상태이다.
“강원도는 살기 어때? 집은 맘에 들어?”
진주가 음료를 마시며 묻는다.
“응, 전원주택인데 월세로 계약했어. 시골도 꽤 많이 올랐더라구. 노부부가 집을 크게 지었는데 자식들은 분가하고 할아버지 먼저 돌아가셔서 할머니가 내놓으신 거야. 근데 이건 진짜 생각도 못 했던 건데 난방비가 장난이 아니야. 엄청 비싸더라. 집이 넓어서 더 그래...”
차를 마시며 미래가 대답하자 진주가 바로 질문을 한다.
“벽난로 같은 거 없어?”
“벽난로? 있지. 근데 아직 한 번도 안 땠어. 창고에 장작이 많이 있긴 한데... 잘 안 쓰게 되네...”
“벽난로? 완전 운치 있다.”
이야기를 듣고 있던 하영이 흥미 있다는 듯 눈을 동그랗게 뜨고 이야기한다.
“이런 크리스마스에 아주 제격이네. 미래야, 니네집에 정원도 있지? 애기 태어나면 놀기 좋겠다. 음...부러워,,, 참, 미래야 근데 왜 하필 강원도로 이사 간 거야? 니 남편 지금 경북에 있지 않아? 너무 멀다.”
“지금 있는 현장이 앞으로 한 2개월 정도면 마무리 될 거 같애. 다음에 일할 현장이 강원도 고운군이라고 해서 미리 온 거지. 그리고 강원도에서도 한번 살아보고 싶었구. 근데 얼마나 있어야 될지 모르겠다. 확실하지가 않아. 공장 사정에 따라서 일정이 항상 바뀌니까 그게 좀 안 좋아."

미래의 말에 하영이 대답한다.

"고운군? 고운군이면 어디야? 들어본 거 같긴한데..."

"춘천하고 가까운 작은 동네야. 생각보다 서울에서 안 멀어. 의외로 사람들한테 많이 알려지지도 않았구."

미래가 웃으며 답한다.

하영은 궁금한 것이 많다.

"미래야, 넌 거길 어떻게 알고 간 거야?"

하영의 물음에 미래가 웃으며 대답한다.

"야! 얘 왜 이래? 인터넷치면 다 나와."

미래의 말에 친구들이 모두 웃는다.

"미래야, 니 신랑은 돈은 잘 버는데 거의 현장에서 사는구나. 우리 신랑은 매일매일 꼬박꼬박 제시간에 들어오는데 이눔의 돈이 별루 안된다. 니들 공무원 월급 짐작 가니?" 진주가 푸념을 한다.

"다 장단점이 있겠지." 하영이 진주를 위로하려 한마디 거든다.

짙은 화장에 얼굴 이곳저곳 성형을 한 모습의 금숙이 계속 화장을 수정하다 걱정스러운 표정으로 말한다.

"근데 미래야, 너 도대체 애를 몇 명이나 낳고 싶은 거야? 나는 얘들아, 애 안 낳고 연애만 할 거야. 애 낳으면 몸매 망가지잖아. 미래야, 넌 그런 걱정 안 되니?"

"글쎄, 그 생각은 안 해봤는데... 뭐 늙으면 다 똑같지 않을까?"

미래가 어색한 미소로 대답한다.

금숙이 다리를 꼬며 고상한 자태로 미래에게 훈계를 늘어놓는다.

"어머 얘가 큰일 날 소리하네! 미래야, 여자는 평생 여잔거야. 자기관리 소홀해지면 그땐 여자로서 끝이라고! 알았어? 너 애기 낳으면 바로 그다음 날부터 식단 조절해. 알겠지? 너 내 말 명심해. 안 그러면 진짜 나중에 후회한다."

"알았어, 명심할게... 걱정마."

미래가 웃는다.

금숙이 가슴을 앞으로 돋보이게 내밀며 말한다.

"그나저나 얘들아, 나 가슴 좀 작아진 거 같지 않니? 요즘 다이어트를 좀 무리해서 했더니 부작용인 거 같애."

안나가 한심한 표정으로 금숙을 타박한다.

"금숙아... 오늘은 웬일로 조용하다 했다. 어?
이 외모지상주의자 같으니라고."

금숙은 안나의 타박에도 아랑곳하지 않고 이러저리 가슴의 균형을 맞춰본다.

"안나, 너야 말로 또 나 갈구기 시작하네? 혹시 너 질투하니? 나 가슴 커서?"

안나가 어이없다는 듯 혀를 찬다.

"금숙아! 정신 차려. 너 정신 차릴 때 됐어."

친구들이 안나와 금숙에게 저마다 한마디씩 한다.
“야! 재네 말려. 또 싸운다.”
“학교 다닐 때도 그러더니, 나이 먹어서도 어쩜 하나도 안 변하니 니들은?”
금숙이 커피를 마시며 능청을 떤다.
“우리? 우리 안 싸웠는데? 안나야! 우리 싸웠니?”
안나도 대수롭지 않은 듯 음료를 마시며 고개를 젓는다.
“아니, 우리 대화한 거야. 그치 금숙아?”
진주가 포크로 디져트 케익을 한입 먹으며 화제를 돌린다.
“근데 미래야, 경찰서에서 아직 연락 없니? 왜 이렇게 범인을 못 잡아? 지금 몇 개월째니? 도대체...”
미래가 아메리카노를 한 모금 마시며 힘없는 목소리로 대답한다.
“CCTV도 막상 쓸려니까 무용지물이더라구. 어두워서 전혀 누군지 알 수가 없어”
“야! 미래야! 너 진짜 무서웠겠다. 이거 완전 호러잖아. 안 그래? 너 이사 가길 진짜 잘한 거야. 어디, 무서워서 살겠니?”
안나가 음료수를 내려놓으며 미래를 위로한다.
그때 미래의 가장 친한 친구 진주가 미래에게 묻는다.
“장르가 호러인건 맞긴 하지. 근데 미래야, 이사 간 집에선 아무 일 없지?”

미래는 말없이 고개만 끄덕인다.
금숙이 립스틱을 수정하느라 거울을 보며 말한다.
"미래야, 진짜 다행이다. 그래도, 너 무슨 일 생기면 바로 나한테 연락해 알았지?"
"그래, 그럴게. 근데 너 풀메이크업 하고 나오려면 시간 좀 걸릴 것 같은데?"
미래가 웃으며 이야기하자 친구들도 같이 웃는다.
금숙은 멋쩍은 듯 미래를 한 대 툭 친다.
"어머... 센스쟁이... 근데 얘들아, 나 이름 로라로 개명한 거 알지? 다들 로라로 불러주길 바래~~"
안나가 금숙을 한심하게 쳐다본다.
"왜 오로라 라고 하지 김로라라고 했니?"
"오로라? 아니 글쎄 작명하는 아져씨가 그러는데 내가 두 번이나 이혼한 게 다 이름 때문이래. 나도 오로라가 좋긴 한데 그러면 성도 바꿔야 되잖아.
성도 바꿀 수 있나? 인터넷에 검색해 봐야겠다."
안나는 천진난만하게 가방에서 핸드폰을 꺼내어 검색을 시작한다.
안나가 고개를 설레설레 흔든다.
"얘는 참 밝아서 좋아. 너 이름만 바꾸면 이혼 안 하고 잘 살 수 있데?"
"응, 맞어. 근데 왜?"
금숙이 핸드폰을 검색하며 해맑게 대답한다.
"아니다, 아니야."

안나가 찻잔을 내려놓으며 포기한 듯 말한다.
다섯 명의 친구들은 그렇게 오랜만에 모여 그동안 못 다 한 얘기로 즐겁다.

미래가 화장실을 간 사이 전화벨이 울린다. 미래는 손을 마저 닦고 핸드백에서 전화기를 꺼낸다. 모르는 번호이지만 혹시 차를 빼달라는 전화인가 싶어서 전화를 받는다. 하지만 마음은 왠지 조심스럽다.
"여... 여보세요?"
그때 수화기 너머로 AI 목소리가 흘러나온다.
"지금 당장 헤어져!"
"지금 당장 헤어져!"
"지금 당..."
깜짝 놀란 미래는 전화기를 떨어트리고 만다. 얼른 전화기를 주워서 떨리는 손으로 수신 거절과 동시에 번호를 차단한다.

8. 형제

크리스마스를 앞둔 12월의 어느 날, 준기가 호텔 레스토랑에서 일하고 있다. 저녁을 먹는 손님들이 저마다 즐거운 모습이다. 생일을 축하하는 사람... 고백하는 사람... 준기는 일을 하면서 손님들이 저마다 가족들과 연인들과 즐겁게 대화하며 저녁 식사를 하는 모습을 지켜보다 우연히 예전의 준기, 준서와 같은 또래의 형제를 발견한다.

형이 동생에게 샐러드를 놓아주며 말한다.
"너 이거 먹어야 키 큰다. 형 친구가 있는데 야채를 하나도 안 먹어서 키가 지금 형보다 엄청 작아."
그러자 동생은 손가락으로 샐러드를 골라낸다.
"형! 나 야채 싫어. 맛없어!"
그래도 형은 포기하지 않고 야채를 먹이려 한다.
"너 이 샐러드 다 먹으면, 형이 농구 시합할 때 데려가 줄게."
형의 말에 동생은 입을 삐죽 내민다.
"진짜? 나 쪼끄맣다고 맨날 안 데리고 가잖아!"
형이 손가락을 걸며 약속한다.
"그러니까 이번엔 꼭 데려간다고. 약속할게, 진짜."

동생은 형의 말에 울 것 같은 얼굴로 야채를 우걱우걱 씹어먹는다. 부모는 서로 이야기하느라 아이들이 하는 이야기를 듣지 못한다. 남편과 이야기를 나누다 야채를 먹는 아들을 본 엄마는 아들을 칭찬한다.

“어머 우리 준서, 야채도 잘 먹네?”

순간 준기는 자신의 동생과 같은 아이의 이름을 잘못 들었나? 하는 생각으로 형제를 바라본다. 문득 어린 시절을 회상하며 작은 소리로 동생의 이름을 되뇌어본다.

“준... 서...”

5학년인 어린 준기가 학교를 마치고 집으로 돌아오고 있다. 싸늘하고 스산한 11월의 날씨가 마음을 더욱 춥게 만든다. 학교에서 돌아오는 길에 준기는 친구들과 다투는 준서를 발견한다. 준기는 다급하게 준서에게 달려간다.

“준서야, 무슨 일이야? 누가 너 괴롭혔어?”

준기가 나타나자, 동네 아이들이 한 명씩 뒷걸음질 친다. 외투도 없이 추운 겨울날 밖에서 놀던 준서는 무슨 일이 있었는지 형을 보자 울먹인다.

“형아~~애들이 그러는데... 우리 집 가난하데. 그래서 우리 거지래. 형아~ 우리 거지 아니지? 그치?”

준기는 큰소리로 호통치며 준서를 달랜다.

“뭐? 누가 그런 말을 해! 누구야?”

준서의 호통을 들은 동네 아이들은 모두 뛰어 달아나 버린다. 준기는 한쪽 무릎을 꿇고 준서와 눈을 맞추며 동생을 어루만진다.
"준서야, 우리 집 가난한 건 맞지만, 거지라고 놀린 친구들이 진짜 나쁜 거야. 알겠어?"
준서는 눈물을 멈추고 고개를 끄덕인다.
"준서야 형이 약속할게! 형이 이다음에 커서 어른이 되면, 우리 준서 아무도 못 놀리게 부자로 만들어줄게. 비싼 잠바도 사주고, 블록 장난감도 사줄게. 그리고 준서 놀리는 애들 있으면, 형이 다~ 혼내줄게
그러니까 울지 않기로 약속하는 거다?"
준서가 고개를 끄덕인다.
"형, 배고파. 집에 가고 싶어. 엄마한테 밥 달라고 하자."
"아직 안 돼, 준서야. 아빠 잠들면 그때 들어가자."
아무것도 해줄 수 없어 가슴 아픈 준기의 심정을 알 리 없는 어린 준서는 천진난만한 표정이다.
"아빠가 화내면 안 되니까? 형, 근데 나 추워."
외투도 없는 준기는 준서의 몸을 녹여주려 어깨를 감싸고 차가운 손을 꼭 잡는다. 어린 준기와 준서는 그렇게 아이들이 놀다 집으로 돌아간 그곳에서 한참을 웅크리고 앉아 있다.

어린 시절의 그날과도 닮은 추운 겨울날의 창밖을 바

라보며 과거를 회상하던 준기는 창문에 비친 다 커버린 자신을 바라보고는 정신을 차린다. 준기는 모든 것을 잊고 싶은 듯 고개를 저어본다. 창문 너머 도시의 야경을 바라보며 혼자 중얼거린다.
“내가 지켜주겠다고 약속했었지. 엄마도... 준서도...”
그때 직원이 자신 있는 발걸음으로 준기에게 다가온다.
“매니저님! 오늘 캐비어 카나페 반응 좋은데요? 오늘 최상급 케비어가 들어왔어요. 덕분에 와인 매출까지 기대 이상이에요.”
준기는 아무 일 없는 듯 웃으며 애써 활기차게 말한다.
“캐비어도 날마다 상태가 다르니까 꼭 확인하고 미리미리 도착시간 잘 확인해. 개네들은 꼭 닦달을 해야 제시간에 갖다주더라고. 그리고 오늘 같은 날은 캐비어 떨어질 때 대비해서 연어로도 미리 준비하고.”
“네 알겠습니다. 매니저님!”

9. 상처

아픈 상처를 담은 겨울은 어느새 지나가고 따스한 4월의 어느 날 정신과 병원 대기실에서 준기가 진료를 기다리고 있다. 여러 명의 환자들이 무표정하게 자신의 순서를 기다리고 있다. 간호사의 호명 소리가 들린다. 간호사가 진료실을 손으로 안내한다.
"민준기 님 진료실로 들어가실게요."

정신과 의사가 컴퓨터 모니터를 확인하며 인사를 건넨다.
"안녕하세요? 민준기 님. 저번 주에는 처음이시라 약을 약하게 처방해 드렸는데, 일주일 동안 지내시면서 좀 어떠셨어요?"
"음... 잠드는 건 좀 수월했는데 자면서 세 번 정도는 깨는 것 같습니다."
의사는 증상을 모니터에 기록한다.
"꿈은 아직도 많이 꾸시나요?"
"네... 아직도 그날의 상처가 다 아물지 않았나 봅니다. 거의 매일 같은 꿈을 꾸는 것 같아요."
"같은 꿈이라면... 그 화재 사건 말씀이시죠?"
"네."

"음... 전형적인 외상후스트레스장애의 증상 중 하나입니다. 크게 걱정하실 필요 없구요. 약을 좀 늘려보도록 하겠습니다. 일단 잠을 푹 주무시면서 약을 잘 드시면 거의 대부분 증상이 좋아집니다. 어... 대신에 약을 꾸준히 드셔야 합니다. 간혹 정신과 약을 먹으면 치매에 빨리 걸린다는 둥, 그런 근거 없는 주변 지인들 말 듣다가 약 제때 안 드시고 악화돼서 다시 오시는 분들이 계시거든요. 뭐, 그밖에 환청이나 환각 같은 증상은 없으시죠?"

준기는 고민하다 결심한 듯 말한다.

"있...습니다. 누가 저를 험담하는 소리가 자꾸 들려요. 그래서 뒤돌아보면 아무도 없구요."

의사가 놀라며 모니터를 가까이서 확인한다.

"예? 저번 주에는 그런 말씀이... 없으셨네요? 그러면 직장 생활에 지장이 많으셨을 텐데요?"

"사실 제가 혼자 일하는 시간이 많거든요. 주말에도 거의 혼자 있는 편입니다."

의사는 키보드를 치며 부지런히 증상을 기록한다.

"혹시... 죽고 싶다는 생각도 드시나요?"

준기가 잠시 고민한다.

"예, 그렇습니다. 뭐, 자주는 아닙니다."

의사가 키보드를 멈추고 두 손을 모으며 준기를 바라보며 조심스럽게 입을 연다.

"이런 말씀이 어떻게 들리실지 모르겠지만... 아마 증상들을 인터넷에서 찾아보셔서 아실 수도있는데... 조현... 병 증상도 있는 것 같습니다. 근데 이 조현병도 옛날에는 정신 분열이다 그래서 인식이 좀 안 좋았는데요, 요즘엔 약도 많이 좋아지고 해서 약 잘 드시고 관리 잘 하시면 일상생활에 지장 없이 잘 생활하실 수가 있어요. 민준기 님... 나는 왜 이럴까? 뭐 이런 생각이 문득 문득 드실 수도 있지만... 아까도 말씀드렸듯이 충분히 치료가 가능한 질병이니까 너무 걱정 마시고요. 약은 일단 일주일 치 처방해 드릴 테니까, 증상에 변화가 있는지 아니면 다른 증상은 없는지 잘 관찰해 보시고 일주일 후에 뵙겠습니다."

"예, 선생님... 감사합니다."

병원 대기실에서 준기를 부르는 간호사의 음성이 들린다.

"민준기 님~ 약 나왔습니다."

준기는 카드를 내밀고 약을 타가지고 나간다.

화창한 날씨에 준기는 차를 운전하며 경남의 아름다운 해안도로를 달리고 있다. 해안도로의 코너를 돌 때마다 차량 스피커에서는 비발디 사계 중 여름 1악장의 클라이맥스 부분이 긴장감을 주며 흘러나온다. 1악장의 마지막 부분이 웅장하게 끝남과 동시에 해안 도로에 차를 멈추는 준기는 차에서 내려 바다를 바라보며 생각에 잠긴다. 바다를 바라보는 준기 뒤로 준서의 차가 주차를 한다.

준서가 차에서 내리며 밝은 목소리로 형에게 인사를 건넨다.

"왜 화창한 날 청승이야?"

"왔어? 늦을 줄 알았는데, 일찍 왔네?"

준서는 운전하느라 몸이 피곤한지 한껏 기지개를 켠다.

"이런 날도 있어야지. 오늘 날씨 죽이는데? 안 그래? 바다 색깔 봐라! 이 바다가 원래 이색이었나? 오늘따라 너무 예쁜데?"

준서와 달리 준기는 무표정한 얼굴이다.

"준서야!"

"응? 왜, 말해."

"그날 말이야. 내가 좀 더 컸었다면... 막을 수 있었을까?"

한껏 경치를 감상하던 준서가 준기를 바라본다.

"그날? 그날은 또 왜! 이제 그만 잊자."

준기는 답답한 표정으로 바다를 바라본다.

"엄마 얼굴이 저렇게 된 거, 사람들 피하게 된 거 다 나 때문인 것 같애. 그 생각을 떨칠 수가 없어."

준기의 머릿속은 어느새 과거로 향해있다.

화재 사고가 난 지 약 8개월이 지난 여름 어느 날 경남의 희망 보육원으로 얼굴을 반쯤 가린 은옥이 준기와 준서를 보러 찾아온다. 얼굴 때문에, 보육원에 들어가지 못하고 담장 너머로 준서를 찾는다. 여자 어린이와 마당에서 흙장난을 하고 놀고 있던 준서가 화상 입은 엄마의 모습을 못 알아보고 놀란다.

이제 막 8살이 되어 학교에 입학한 준서가 옆에 있는 한 살 누나인 여자아이 현아에게 다급하게 말한다.

"누나! 저기 괴물, 괴물 나왔어."

현아는 담장 너머의 은옥을 보고 준서의 손을 꼭 잡고 건물 안으로 뛰어 들어간다.

"준서야! 누나 손 잡아. 얼른 도망치자. 선생님! 선생님! 여기 괴물이 나타났어요!"

은옥은 안타까운 표정으로 사라지는 준서를 바라보며 눈물을 흘린다.

"준...서...야! 엄마야, 엄마 왔어."

멀리서나마 아들의 얼굴을 본 은옥이 자신의 얼굴을 가리며 흐느낀다. 그때 마침 학교에서 돌아오던 6학년이 된 준기와 마주친다.

"엄마! 왜 준서 안 만나고 여기 있어요?"

은옥은 얼른 눈물을 훔친다.

"아이구, 얘는 준서가 아직 어린데 이런 엄마 얼굴 보면 놀랄텐데..."

준기가 그런 엄마의 모습에 속상해 하며 화를 낸다.

"놀라긴 누가 놀라! 엄마 얼굴이 어떻다고!"
준기는 엄마 손을 잡아끌고 준서에게 데리고 가려 한다.
"얼른 들어가요 엄마! 준서가 엄마 보고 싶데요."
은옥은 준기의 손을 뿌리친다.
"준기야, 나중에. 나중에 준서 더 크면 그때, 그때 만나자 응?"
은옥이 준기의 손을 꼭 잡는다.
"우리 준기, 그동안 키 큰 것 좀 봐? 밥 잘 먹고 잘 지내는 거지?"
"네, 엄마. 걱정 안 해도 돼요. 선생님들이 다 잘해주세요."
은옥은 그새 또 눈물을 글썽인다.
"준서도? 밥 잘 먹고?"
"네, 처음에 여기 왔을 때는 밥도 잘 안 먹고, 맨날 엄마한테 간다고 울고 그랬는데, 지금은 현아라는 여자애가 잘 챙겨줘서 밥도 잘 먹고, 잘 지내요. 걱정 안 해도 돼요. 엄마는? 엄마는 아픈 데 없어요?"
은옥은 눈물을 닦으며 아무렇지 않다는 듯 말한다.
"응, 엄마 이제 다 나았어. 요 밑에 시장통 있지?
거기서 생선 팔기 시작했어."
은옥이 갑자기 정색하며 준기에게 당부한다.
"너 지나가다 엄마한테 아는 척하고 그러지 마! 애들이 보고 놀릴라."

준기는 그런 엄마의 모습이 안타까워 또 화를 내고 만다.
"놀리긴 누가 놀려요. 엄마! 왜 그런 생각을 해요!"
은옥은 준기를 달랜다.
"그래, 그래, 준기야. 니 마음 알어. 근데 지금은 엄마가 불편해서 그래. 좀 더 있다가 준서도 만나고... 엄마가 돈 벌어서 너희들 꼭 데리러 올게. 응?
그때까지만 선생님 말씀 잘 듣고 공부 열심히 하고 있어 밥도 많이 먹고 알았지?"
준기가 참았던 눈물을 보이며 엄마를 끌어안는다.
"엄마! 걱정하지 마. 내가 크면 돈 벌어서 엄마 행복하게 해줄게요."
준기와 은옥이 부둥켜안고 서로를 위로한다.

동해안에 펼쳐진 옥색 바다를 바라보던 준기는 과거의 기억에 괴로워한다.
"준서야, 다 나 때문이야. 사고 나던 날 말이야. 그때 내가 좀 더 용기가 있었다면 엄마가 저렇게 되진 않았을 거야."
준서는 그런 형의 모습에 버럭 화를 낸다.
"아니, 왜 자꾸 그런 생각을 해. 형! 그땐 형도 어렸어. 형이 안 다친 것만도 하늘이 도운 거야. 형마저 없었으면, 난! 난 어떡하라고! 그러니까 이제 그 죄책감에서 그만 좀 벗어나. 형 잘못한 거 하나도 없어. 형도 그때

고작 12살이었다고!"
준서의 말에 준기는 억지로 미소를 지어 보인다.
"정말 그렇게 생각해?"
준서가 화내듯 대답한다.
"당연하지. 형이 나 지켜준다고 했잖아. 지금까지 그렇게 해왔고. 그러니까 자책하지 마. 형 덕분에 나 대학도 졸업하고 이렇게 번듯하게 살고 있는 거 안 보여?"
준기가 준서의 어깨에 손은 얹으며 미소 짓는다.
"말이라도 고맙다."
준서도 형의 손에 자신의 손을 얹으며 말한다.
"빨리 가자, 엄마 기다리시겠다."

바닷가에 있는 은옥의 집에 준기와 준서가 자연스럽게 짐을 가지고 방으로 향하며 엄마를 찾는다.
"엄마! 저희 왔어요"
준기와 준서가 온 것을 아직 모르는 은옥은 화상으로 얼룩진 얼굴을 칭칭 감고 허공에 대고 누군가와 이야기하고 있다.
준서는 엄마의 대답이 없자 바닷가에 나갔다고 생각한다. 옷 가방을 놓으려 방으로 들어가려 하는데, 허공에 대고 손짓하며 이야기하는 은옥을 보고 주춤하며 다시 부엌으로 나온다.
준기는 부엌에서 익숙하게 음식을 요리한다.
"준서야! 엄마 안 계셔? 바닷가에 나가 봐."

준서는 형에게 어떻게 설명해야 할지 망설인다.
"아니 그게... 엄마가 방에서 허공에다 대고 누구랑 막 얘기하는데? 어떻게 해? 요즘 엄마 계속 그래 형. 어떻게 좀 해봐."
은옥은 인기척을 느끼고 방을 나오며 아들들을 반긴다.
"우리 아들 왔어?"

집안 곳곳에 이끼가 잔뜩 붙은 크고 작은 돌들이 놓여있다. 준기가 밝은 모습으로 요리를 내온다. 밥상에 앉아서 모처럼 세 식구가 오붓하게 식사를 한다.
은옥이 밥을 먹기 위해 얼굴의 스카프를 벗는다.
"우리 큰아들 요리도 잘하지. 언제 요리를 배웠어?"
그때 준서가 답답한 듯 큰 소리로 말한다.
"엄마! 형 호텔 레스토랑 매니저라고 몇 번을 말해!
그새 또 잊어버린 거야?"
준기가 준서의 팔을 잡고 차분히 내려놓으며 따듯한 미소를 짓는다.
"엄마, 제가 이번에 호텔에 취직했어요. 거기서 요리도 가르쳐 줘요. 맛있어요?"

아들이 호텔에서 일한다고 하자 은옥은 걱정이 태산이다.
"뭐? 호텔?"

그런 데서 일하면 힘든데, 침대 커버도 벗겨야지, 방 걸레질도 해야지, 아이고 우리 아들 고생해서 어떻게 해?

준서가 또다시 답답한 듯 무언가를 설명하려 들자,준기가 손으로 준서를 차분하게 말린다. 정신과에서 탄 약을 꺼내며 봉투는 주머니에 넣고 약만 주며 엄마에게 설명한다. 약 표지에는 '자기 전'이라고만 쓰여 있다.

"엄마, 제가 약 타왔어요. 이거 먹으면 허리도 무릎도 안 아프데. 매일 자기 전에 한 봉지씩 드세요. 알았죠?"

은옥은 약을 받고 기분이 좋아진다.

"아이고, 그래 우리 큰아들이 제일이네. 고맙다. 고마워 돈 벌기도 힘든데."

은옥은 밥 먹던 숟가락을 내려놓고 약을 받아 접고 접어서 호주머니에 소중히 넣는다."

준서가 형의 주머니에서 약봉지를 꺼내 펴본다. '최승록 신경정신과' 라고, 쓰여진 봉투를 확인하고 다시 형의 주머니에 넣는다. 눈물이 핑 돈 채로 엄마에게 반찬을 놔준다.

"엄마, 많이 먹어. 골고루 많이 먹어야 안 아프데."

은옥이 옅은 웃음소리를 낸다.

"이 세상에서 엄마가 제일 행복한 거 같다. 니들도 많이 먹어."

그때 준서의 전화벨이 울린다. 전화기 화면에 미래라고 뜬다. 준기는 준서의 전화기를 보고 다시 엄마를 쳐다본다.
“나중에 통화하지, 그래?”
준서는 목에 칼을 긋는 시늉을 해 보인다. 전화를 제때에 받지 않으면 또 부부 싸움이 날까 봐 가뜩이나 신경 쓰고 있던 터이다. 엄마 눈치를 보며 밖으로 나가서 전화를 받는다.
“여보세요? 빨리받긴... 늦게 받았다가 봉변당할 일 있냐? 아니, 잠깐 일하다가 커피 마시고 있었어. 나 빨리 들어가 봐야 돼. 왜?”
전화기 너머로 미래의 소리가 들린다.
“내가 보낸 사진 봤어?”
“사진? 사진 보냈어? 아니 못 봤어. 지금? 잠깐만.”
사진 속에 태아 사진이 있다. 준서는 자신의 아이일리 없다는 생각으로 다시 전화로 대화를 이어간다.
“이게 뭐야? 누가 임신했어?”
미래가 밝은 목소리로 신이 나서 말한다.
“누군 누구야 나지. 나 임신했어. 축하 안 해줄 거야?”
준서는 머리를 긁적인다.
“벌써 임신이 가능하다고? 근데 왜 이렇게 커? 이건 콩알이 아니고 사람이잖아!”

산부인과 병동 앞 복도에서 미래가 준서와 통화를

하고 있다.
"일부러 말 안 했지. 또 잘못될 줄 알고... 나 지금 진료받고 나오는 길인데, 애기도 완전 건강하고 애기 집도 튼튼하데."
"지금 얼마나 된 건데?"
"지금? 10주. 항상 12주가 고비였으니까 조심해야지. 그런데 이번엔 느낌이 좋아. 이번 주에 올 거지?"
준서가 들뜬 목소리로 대답한다.
"응, 당연히 가야지. 집까지 운전 조심하고 주말에 봐."
준서가 통화를 하다 몸을 돌려 형을 바라본다. 무엇이 떠오른 듯 말을 이어간다.
"저기... 미래야. 너 뭐 먹고 싶은 거 있어? 아니... 직접 해 줄려고 그러지. 그래, 그때 봐~ 사랑해."
준서는 식사 중이던 은옥의 집 거실에 들어와 앉는다. 엄마에게 들리지 않게 귀에 대고 살짝 이야기한다.
"형, 좋은 소식 있다. 이번 주에 우리 집에 와서 맛있는 것 좀 해줘."
준기는 의아하게 준서를 쳐다본다.
"갑자기? 주말에 안될 수도 있어."
준서는 밥을 입에 넣으며 말한다.
"안 되면, 되게 해."

10. 회상

준서와 미래의 새로운 보금자리인 강원도 고운군 열은리 전원주택. 5월의 싱그러운 녹음이 아름답다. 준기는 미래와 새로 태어날 조카를 위해 요리를 하고 준서와 미래는 식사 준비를 하며 거든다.
준기 음식을 먹음직스럽게 플레이팅해서 식탁에 자랑스럽게 올려놓는다.
"제수씨 정말 축하해요. 저 이번에는 꼭 조카 얼굴 볼 수 있는 거죠?"
미래가 활짝 웃는다.
"아주버님도, 참... 지금 조카가 중요해요? 아주버님도 빨리 결혼하셔서 와이프한테 이렇게 맛있는 것도 해주고 그러셔야죠. 그 인물에 그 매너에 너무 눈이 높아서 그런 거 아니에요?"
"맞아, 그건 팩트야. 이 형 여자 보는 눈이 와~~
거의 뭐 지구상에는 없다고 봐야지. 형 눈에 차는 여자는 ..."
준서가 미래를 바라보며 말한다. 그리곤 곧바로 형의 눈치를 본다.
"맞지?"
"그럼, 우리 애기 태어나면 큰아빠한테 사랑 엄청 받겠네요?"
미래는 준기의 요리를 맛있게 먹으며 맞장구를 친다. 그때 준기가 명함을 꺼낸다.
"참, 준서야 나 번호 바꿨다. 얘기 안 했지?"
준서가 의아해한다.
"왜? 무슨 일 있어?"
"무슨 일은... 스팸이 하도 많이 와서... 한번 바꿔줄 때 됐지."
미래가 명함을 보며 감탄한다.
"와~ 명함 이쁘다. 잊어버리기 전에 지금 저장할게요."
전화번호를 입력하자 메시지가 뜬다
〔차단을 해지하시겠습니까?〕
음식을 먹던 미래는 동작을 멈추고 자기가 차단한 번호를 준기가 가지고 있다는 것을 믿을 수 없다는 듯 다시 입력해 본다. 같은 메시지가 뜨자 포크를 내려놓고 굳어진 표정으로 준기를 바라본다. 준기와 준서는 서로 일 얘기에 한창이다. 순간 미래는 자기에게 번호를 바꿔가며 협박 전화를 하던 사람이 준기가 아닌지 의심한다. 미래는 표정이 굳어진 채 준기와 전화를 번갈아 바라본다.

준서는 음식을 먹으며 준서와 일 얘기가 한창이다.
"그러니까, 차라리 이럴 바엔 그냥 사무직이 낫겠어.이건 뭐... 주말도 없어. 공휴일도 없어. 완전 이름만 번드르르하지. 상 노가다야 노가다."

준기도 와인을 마시며 그동안 밀린 이야기가 한창이다.

"그러니까 요즘에는 사무직이 부럽긴 하다. 근데 또 하루 종일 컴퓨터 앞에 앉아 있으라고 하면, 넌 좋아? 난 싫어."

미래는 굳어진 표정으로 음식을 먹으며 대화하는 둘을 바라본다. 왠지 준기의 미소가 소름 끼치도록 가식적으로 느껴지고, 문득 눈이 마주칠 때면 자기도 모르게 눈을 피하게 된다.

준서는 취해서 일찍 곯아떨어지고, 준기는 테라스에서 시골 공기를 쐬며 와인을 마신다. 그때 미래가 테라스로 나온다.

"저도... 한잔해도 될까요?"

미래가 조심스럽게 떨어져서 준기에게 말을 건넨다.

준기가 뒤를 돌아보며 웃는다.

"임산부가 그러시면 안 되죠. 제가 마실 것 좀 가져다 드려요?"

"아니에요. 오늘 많이 먹었어요. 감사해요. 신경 써주셔서... 바쁘실 텐데."

미래가 살짝 웃으며 조심스럽게 테이블에 앉는다.

약간 취한 준기가 난간에 기대어 와인잔을 든 채 미

래를 바라본다.
"원래 요리하는 사람은 맛있게 먹어주는 것만큼 고마운 게 없죠."
미래는 미소로 답한 후 아무 말도 하지 않고 테이블에 앉아 있다. 잠시 어색한 침묵이 흐르자, 준기가 먼저 입을 연다.
"제수씨, 무슨 하실 말씀이라도... 있으세요?"
준기는 조심스러운 말투로 친절한 미소를 지으며 미래에게 묻는다.
"하실 말씀 있으시면 뭐 편하게 하세요."
"저... 사실은... 희망보육원... 다녀왔어요."
미래가 조심스런 말투로 입을 연다.
그러자 준기는 굳어지는 표정으로 고개를 숙이다 몸을 돌려 바깥 경치를 바라본다.
"놀라셨겠네요?"
"안 놀랐다고 하면... 거짓말이겠죠?"
미래가 담담한 표정으로 대답한다.
준기는 먼 산을 바라보며 와인을 한 모금 들이켠다.
"거기도 많이 변했겠네요. 거기 떠나온 지가 언 20이나 됐으니..."
"사실 의외였어요."
"뭐가요?"
"준서 씨처럼 좋은 학벌에 전문직에 저렇게 반듯한 사람한테... 그런 아픔이 있을 줄은 몰랐거든요. 참, 이삿짐 정리하다 우연히 알게 된 거예요. 준서 씨는 몰라요. 제가 거기 다녀온 거."

준기가 테라스 난간에서 몸을 돌려 미래를 바라본다

"그 말은 마치 우리 같은 사람은 뭐 인간답게 사는 게 어색하다... 이건가요?"

"아니요, 아니에요. 기분 상하셨다면 이해하세요. 전혀 그런 뜻 아니에요."

미래는 갑작스러운 준기의 냉소적인 반응에 어쩔 줄을 몰라 손사래를 치며 사과한다.

"전 단지... 아주버님하고 준서 씨가 겪었을 아픔을 생각하면... 너무 마음이 아파요. 그게 다예요."

"제가 왜 결혼을 안 하는 줄 아세요?"

준기의 말에 미래는 말없이 준기를 바라본다.

"준서 때문이에요"

"네?"

준기가 약간 취한 말투로 말을 이어 나간다.

"준서를... 그러니까... 준서를 지킬려구요. 제가 약속했거든요. 어렸을 때. 나이 차이가 5살이나 나서 그런지 제가 볼 땐 아직도 애 같애요."

"그렇군요."

준기는 테라스에 팔을 걸치고 산 쪽을 바라본다.

"그래서 준서한테는 제가 전부에요. 저도 마찬가지구요. 준서를 위해서 진짜 열심히 살았죠. 처음에 보육원에서 나와서 짜장면 배달부터 했던 것 같네요. 정말,

준서 대학 보내려고 한 푼도... 진짜 한 푼도 안 쓰고 모았어요. 아니, 학원도 안 다니는 애가 공부를 곧잘 하더라구요. 저는요 진짜 준서는... 아니... 아이 죄송해요. 제수씨 제가 좀 취했나 봐요."

준기는 과거를 회상하며 테이블 위에 있던 와인을 잔에 채운다.

"저는요 진짜 준서한테 모든 걸 다 해주고 싶었어요. 그래서 5년 동안 죽기 살기로 열심히 돈을 모았죠. 짜장면 집에서도 일하고... 돈가스 집에서도 일하고... 주유소, 택배... 뭐, 정말 안 해본 일이 없을 정도예요.
그런데 정말 신기한 건요, 하나도 정말 하나도 힘이 안 들더라구요. 대학교 가서 남들하고 똑같이 캠퍼스를 누비며 친구들과 어울릴 준서를 생각하면 막 힘이 나더라니까요. 그렇게 이일 저일 하다가 결국 요리가 제일 재미있어서 정식으로 요리도 배우고 자격증도 따고 그렇게 살다가 지금 이 여기까지 온 거에요."

준기의 말을 들은 미래는 추억에 잠긴다.

"준서 씨 소개시켜 줬던 학교 선배가 그러더라구요.
부모님이 뭐 하시는지는 모르지만, 옷도 비싼 것만 입고 학생이 차도 가지고 다니고... 좀 사는 것 같다고요.
물론 돈을 보고 만난 건 아니었지만, 그냥 그때 느낌은 귀하게 자란 그런 느낌이 있었어요. 결국 다 형 덕분이었네요."

"네... 준서를 위해서 진짜 열심히 살았죠. 준서는 진짜 남들한테 손가락질받지 않게 할려고 무~~지 노력했습니다. 근데 문제가 뭔지 아세요?"

준기는 갑자기 자기 머리를 쥐어뜯으며 흥분한다.

"준서가 겁이 좀 많은 편이거든요. 애가 너무 착하다고 해야 되나? 그래서 그런진 몰라도 전 준서를 괴롭히는 사람을 보면 이게... 용서가 안돼요. 아니, 조절이 안된다고 해야되나? 한번은 어떤 일이 있었는지 아세요?"

준기는 테이블에 의자를 당겨 앉으며 이야기를 시작한다.

"아니, 준서가 군대를 갔는데 한번은 전화가 온 거에요. 그때가 준서가 아마 이병 때였나 그랬는데, 상병 고참이 또라이가 있어서 힘들다고..."

한여름 군복을 입은 앳된 준서가 군부대 전화부스에서 형과 통화를 하고 있다.

"여보세요? 형? 나 준서야, 바쁘지? 엄마는? 나? 나 잘있지. 근데 상병 하나가 또라이가 있어가지고 다들 힘들어 해. 날 특별히 괴롭히는 건 아닌데, 군대가 원래 이런 거야? 아, 짜증 나 형. 진짜 들어온 지 얼마 안 됐는데, 벌써 제대 날짜 세고 있다니까."

그래서 제가 이름을 물었죠. 지금은 까먹었는데.

준기는 과거를 회상하며 웃는다.

"제가 그 자식 휴가 나오면 혼쭐을 내줘야겠다고 생각했어요. 제가 안 보는 데서 준서를 괴롭힌다고 생각하니까, 이게... 막... 잠이 안 오는 거에요."

준기는 과거를 회상하며 미래에게 이야기를 들려준다.
"여름에 그 자식이 휴가를 나왔어요. 밤에 혼자 걸어가고 있다고요. 친구들을 만났는지... 약간 취해서요. 저는 그때 그 녀석을 혼쭐을 내줄려고 작정하고 나갔죠. 그래서 이렇게 껌정 바지에 검정 재킷에 검정 모자에 검정 장갑에 검정 마스크를 쓰고... 아, 물론 운동화도 검정... 그런 다음에, 그런 다음에 뭐냐 그 문방구에서 파는 그 장난감 칼 있죠? 그걸 들고 뒤를 쫓은 거죠 제가."
준기는 자기가 말하다 말고 웃음을 터트린다.
"지금 생각해 보면 저도 참 유치하긴 한데... 뒤를 밟는데 아니, 그 자식이 내가 수상했는지 뛰더라구요."

준기가 칼을 들고 젊은 남자의 뒤를 걸어간다. 그 남자가 눈치채고 종종걸음으로 뛰다시피 하여 걸어간다. 어디서 나타났는지 젊은 남자 앞에 준기가 칼을 들고 서 있다. 젊은 남자는 겁에 질려 당황한다. 준기가 서서히 다가가자 젊은 남자는 뒷걸음을 치고 준기는 달려가 한 팔로 그자의 목을 감싼 채 다른 팔로 칼을 목에 갖다 댄다. 칼의 차가운 느낌이 젊은 남자의 목에 전해진다. 남자는 몸을 사시나무 떨듯 하고 준기가 차가운 목소리로 말한다.
“한 가지만 묻는다.”
젊은 남자는 식은땀을 뻘뻘 흘려가며 고개를 끄덕인다.
“국립묘지에 묻히고 싶어? 아니면 명대로 살고 싶어?”
“저... 저. 저느... 사... 살려 주세요.”
남자는 겁에 질린 채 자신을 위협하는 무기가 진짜 칼이라 생각하고 겨우 대답한다.
준기가 목을 더 조인다.
“새파랗게 젊은 나이에 국립묘지에 묻히고 싶지 않으면 알아서 잘 처신해!”
준기가 남자를 풀어주자 남자는 다리에 힘이 풀려 풀썩 주저앉아 버리고 이내 오줌을 지리고 만다. 준기가 우두커니 서 있자, 혼비백산이 되어 달아난다.
준기가 신이 나서 이야기를 이어 나간다.
“이런 새끼들은 꼭 자기보다 약한 놈들한테만 그러는 거 알죠? 아니, 얼마나 겁이 많은 새낀지 바지에 오줌을 지렸더라구요. 아니, 혹시 신고하면 어떡해요. 그러면 장난이라고 말하려고 일부러 장난감 칼 가져간 건데... 완전, 지금 생각하면 정말... 너무 유치해서 아나,,, 진짜 웃음밖에 안 나오네. 아니, 그렇게 배짱도 없는 쫄보놈이 군대에서는 후임들 갈구고. 하아~ 진짜. 근데 그 뒤로 준서한테 전화가 왔는데요, 그 상병 새끼가 휴가 다녀오더니... 엄청 착해지긴 했는데... 뭐라더라, 정신과 치료받다가 의가사 제대를 했다는 거에요. 아, 제수씨 의가사 제대가 뭐냐면요."

준기가 신이 나서 이야기를 이어 나가자, 미래는 준기를 노려보는 듯한 차가운 표정으로 준기의 말을 자른다.

"글쎄요... 제가 듣기에 그렇게 재미있게 들리지는 않네요."

준기는 이내 웃음을 잃고 몸이 굳어진다.

"아... 아... 죄송해요. 여자들은 군대 얘기 싫어하는데 제가 너무 오래 얘기했죠?"

미래는 준기를 똑바로 응시한다.

"이건 재미있는 얘기가 아니라 무서운 얘기 같은데요?"

준기가 멋쩍은 듯 머리를 긁적인다.

"아... 그렇지. 나름 무서운 얘기죠. 생각해 보니까 그 새끼 아직도 진짜 칼로 알고 있을 거 아니에요. 아... 진짜 그 생각을 못 했네."

미래의 싸늘한 반응에도 불구하고 준기는 옛날 일을 회상하며 즐겁기만 하다.

미래가 준기를 걱정스러운 눈으로 바라본다.

"미안하지 않으세요? 그 사람한테?"

준기가 의아한 표정을 짓는다.

"네? 제가요? 왜요?"

미래는 걱정스러운 눈빛으로 준기에게 따진다.
“그럼... 저한테도... 그러실 건가요?”
준기가 당황한다.
“네? 제수씨... 제가 잘못 들었어요. 뭐라고요?”
미래가 팔짱을 낀 채 싸늘한 말투로 묻는다.
“준서 씨하고 결혼한 제가 맘에 안 들어도 그렇게 하실 거냐구요.”
“아이, 제수씨 왜 그러세요. 제가 제수씨한테 왜 그래요. 제 얘기가 불쾌하셨으면... 음... 죄송...”

미래가 준기의 말을 자르며 일어선다.
“아니에요, 아주버님. 죄송할 필요 없어요. 그냥 오늘 제가 좀... 예민했어요. 마음 쓰지 마세요.”
테라스에서 거실로 들어가려는 미래에게 갑자기 준기가 미래의 뒷모습을 보고 절규하듯 큰 소리로 외친다.
“제수씨! 준서는 이유에요. 제 삶의 이유! 누구를 위해 그렇게 열심히 살아본 적 있어요? 어느 누구도 직접 당하지 않고는 말할 수 없는 거에요.”
준기는 와인잔을 쥐고 부르르 몸을 떤다. 미래가 감정이 격해진 준기를 피해 거실로 들어가려고 손잡이를 잡는 순간, 준기가 들고 있던 와인잔이 깨지는 소리가 들린다. 미래는 당황하여 그 상황을 외면하며 황급히 자리를 피한다. 어느새 준기 손에는 피가 흐르고, 술에 취한 준기는 먼 산을 바라보며 어린 시절을 회상한다.

막 초겨울이 시작되는 11월 희망보육원 그때의 그 공기, 냄새, 준서의 우는 모습... 모든 것이 아직도 생생하다.

마당에서 아이들이 놀고 있었지만, 준서는 어느 누구하고도 어울리지 못하고 땅에 그림을 그리고 있다. 걱정된 준기가 다가가 말을 건넨다.

"준서야 뭐해?"

준서는 바닥을 응시하며 아무 말도 하지 않는다

"준서야! 형이 놀아줄까?"

준서는 고개를 저으며 형에게 묻는다.

"형, 우리 집에 언제 가? 나 집에 가고 싶어."

준기는 이런 상황들이 난처하다.

"준서야... 있잖아... 우리 집이 불이 났잖아. 그래서 지금 못가."

준서는 그 말에 그만 울음을 터트린다.

"엄마~~~엄마한테 갈 거야. 엄마 보고 싶어."

준기도 억지로 눈물을 참는다.

"준서야, 엄마는 지금 병원에 있어. 아직 못 만난 데."

준서는 형을 때리며 떼를 부린다

"거짓말! 거짓말! 엄마 죽었지? 그러니까 우리 데릴러 안 오는 거잖아! 엄마~"

어린 준서의 눈에서 눈물이 멈추지 않는다.

준기는 준서를 안아서 진정시킨다

"준서야! 진짜야. 엄마 병원에서 치료받으면 우리 데릴러 올 거야. 그러니까 울지 말고 형이랑 놀자 응?"
어린 준서는 형의 품에 안겨 눈물을 멈추지 않는다.
"울지 말고 씩씩하게 잘 지내야지 엄마가 빨리 데리러 오지. 준서가 공부도 열심히 하고 울지도 않고 밥도 잘 먹으면 형이 나중에 아르바이트해서 좋은 옷도 사주고 운동화도 사주고 무선조종 자동차도 사줄게, 응? 그러니까 준서 뚝 해야지 뚝!"
형의 말을 들은 준서는 눈물을 멈추고 형 품에서 고개를 든다.
"형 돈 있어? 진짜 무선 조종카 사줄 거야?"
"당연하지! 준서 공부 열심히 하면..."
준기가 웃으며 준서를 쓰다듬는다.
준서는 눈물을 멈춘다.
"나 공부 열심히 할 거야. 100점 맞아서 엄마한테 자랑할 거야."
준기는 과거의 어린 준서를 회상하며 눈물을 흘린다. 손은 피로 얼룩진 채 혼자 테라스에 앉아 와인을 병째 마신다.

다음날 준기가 출발하기 위해 집을 나선다.
준서와 미래가 마당에 주차되어 있는 차까지 배웅한다.
"준서야! 형 갈게 제수씨 잘 챙겨드려." 준기는 어제 일은 모두 잊은 듯 해맑게 웃으며 미래를 바라본다.

"제수씨 잘 쉬다 갑니다. 다음에 또 와서 더 맛있는 거 해드릴게요."

미래는 짧은 목례를 한다.

준기의 손이 휴지로 감겨있고 그 사이로 피가 묻어있다.

준서는 차에 타는 준기의 손을 보고 놀란다.

"잠깐 형! 손이 왜 이래? 다쳤어?"

"아아, 아무것도 아니야 어제 요리하다가 살짝 베었어." 준기가 웃으며 아무렇지 않게 이야기한다.

준서가 안타까운 표정을 짓는다.

"에이, 뭐야. 바로 얘기했어야지. 많이 다친 거야?"

"별거 아니야."

준기는 차에 시동을 걸며 미래를 바라보고 인사를 건넨다.

"제수씨 가볼게요. 무리하지 마시고 조심하세요."

미래는 애써 미소를 짓는다.

"네, 안녕히 가세요."

모처럼 며칠 쉬게 된 준서는 소파에 앉아 리모컨을 든다. 준서는 형이 다녀가고 나서 의기양양해서 미래에게 말을 건넨다.

"어때, 우리 형 요리 솜씨 장난 아니지?"

"그러니까 그렇게 큰 호텔에서 일하시겠지. 어쨌든 다르긴 하더라."

소파에 앉아 빨래를 개는 미래의 모습이 왠지 힘이 없다.
“근데 아주버님이 전화번호 왜 바꿨다 그랬지?”
미래가 망설이다 묻는다.
준서는 TV를 보고 웃으며 듣는 둥 마는 둥이다.
“몰라, 뭐라고 했는데 잊어버렸네. 근데 왜?”
미래가 대답이 없자 그제서야 미래를 바라본다.
“왜? 무슨 일 있어? 자기 표정이 왜 그래? 형이 왔다가서 불편했어?”
“아니야, 그런 거.”
준서는 갑자기 미래가 걱정된다.
“자기야, 자기 기분이 좋아야 우리 애기도 기분이 좋지. 여기 일루 와봐. 내가 뭐 보여줄게.”
준기는 가방에서 미리 준비한 월간지를 꺼낸다. 둘이 같이 한 장 한 장 넘겨 가며 살펴본다.
“여보 내가 이거 하나 얻어왔거든. 고운군에서 한 달에 한 번 발행하는 고운군 소식이래. 근데 여기 쓸만한 정보가 많더라구. 여기 보면 동아리 모임도 있고 무료 법률 상담도 있고, 여기! 여기봐봐 문화센터에서 수업도 한대.”
준서는 고운군에서 운영하는 문화센터를 손가락으로 짚어본다.
“여보 이거 어때? 재미있겠지?”
미래는 문화센터 시간표를 보고 준서를 쳐다본다.

"내가? 이걸 내가 할 수 있을까?"

11. 이웃

미래는 낮에 읍내의 문화센터에 나와 가구 만들기 수업에 참여한다. 원목으로 된 아기 수납장을 정성스럽게 색칠하고 있다. 주변 사람들도 저마다 책꽂이, 탁자 등을 사포로 다듬기도 하고 색칠하기도 한다. 미래도 아기 옷을 담을 예쁜 수납장을 바라보며 미소 짓는다.

선생님이 미래의 가구를 바라보며 감탄한다.

"어머, 색 감각이 정말 좋으시네요. 이렇게 같은 원목이라도 만드는 사람마다 다 느낌이 다르다니까요.

이제 바니시만 바르시면 마무리될 거 같네요. 바니시는 물 타서 세 번 정도 덧발라 주세요."

미래는 선생님의 칭찬에 기분이 좋아진다.

"네, 선생님."

수업이 끝난 후 임신 5개월의 미래가 문화센터 복도에서 가구를 이리저리 밀면서 주차장에 가려고 한다. 계단이 나오자 이러지도 저러지도 못하고 서 있는다. 그때 웬 노동자로 보이는 모자를 쓴 남자가 지나가다 다시 돌아온다. 말끝에 약간의 이북 억양이 들어간 강원도 사투리를 쓰며 미래에게 말을 건다.

"저기... 안녕하세요? 혹시 이거 옮기실려 그러세요?

아... 이게 원목이라 무거우실 텐데... 제가 들어드릴까요?"
"어머 감사해요. 생각보다 무겁긴 하네요."
모자를 쓴 남자가 가구를 가지고 왔지만, 승용차인 미래의 차에 실리지가 않는다. 모자를 쓴 남자는 모자를 만지작거리며 난처해 한다.
"아.., 그러니까 이차에 안 들어갈 거를 생각을 못 하셨다... 이 말이죠? 아, 제가요. 여기 수도공사 때문에 온 거라 저도 일을 해야 되거든요. 잠시만 기다려 보세요. 지금 팔자 좋게 노는 놈이 있으니까, 전화 좀 해볼께요."
"아니.. 그렇게까지 안하셔도 되는데... 저 진짜 괜찮아요."
미래는 시골 사람들의 과도한 친절이 불편하기만 하다. 손을 설레설레 저으며 괜찮다고 말해도 소용없다.
모자를 쓴 남자는 아랑곳 하지 않고 마치 자기 일인 듯 어디론가 전화를 건다.
"야, 일식아. 어 그래, 난데 너 술 안 먹었지? 지금 먹을라고? 야, 야, 너 글지 말고 여기 뭐냐 그 고운군 문화센터 있잖아. 거기 주차장으로 좀 와라. 아, 그냥 묻지 말고 너 차 그거 가지고 와라이~"
잠시 후 일식이 도착한다. 일식은 주머니에 손을 넣은 채 미래를 보고 목례를 한다.
"왜 사람을 오라가라냐? 막걸리 한잔 딱~ 할라고 하

고 있었는데."
모자를 쓴 남자는 미래를 가리키며 일식에게 당부한다.
"여기 이 사모님이 나랑 아주 친하신 분이니까 이거 가구 좀 싣고 집까지 모셔다드리라고."
"이놈이... 아무리 그래도 밥 먹는데 부르냐?"
일식은 미래의 눈치를 보며 친구를 나무란다.
모자를 쓴 남자는 일식의 어깨를 툭 친다.
"나는 일해야 되니까, 얼른 갖다 드리고 나랑 막걸리 한잔하자구."
일식은 당연히 자기 일인 듯 가구를 용달차에 싣고 고무밴드로 고정하고 미래를 보며 재촉한다.
"앞장서세요. 제가 따라갈게요. 어디 열은리라고요? 거기 사는 사람 내가 다 아는데... 이사 오셨어요?"
"네... 1년 조금 안됐어요. 초면에 이렇게 도와주시니 정말 감사합니다. 제가 사례비는 꼭 드릴게요."
일식이 놀란다.
"사례비요? 아니 무슨 동네에서 이런 일로 사례비를 받아요? 얼른 시동 거세요."
미래가 먼저 시동을 걸고 출발하자 일식이 가구를 싣고 뒤따라간다.

미래의 차가 마당으로 들어오고 연이어 일식의 트럭이 가구를 싣고 들어온다.

일식이 트럭에서 가구를 내리며 말끝을 꺾는듯한 영서지방 사투리로 이야기한다.
“아, 여기 이사 오셨구나. 여기가 태영이네 부모님 집이거든요. 태영이 아버님 돌아가신 지가 좀 됐는데... 어머님이 여기 안 사시고 세를 주셨나 봐요?”
“그래요? 태영 씨는 제가 잘 모르고요. 그냥 부동산 통해서 들어온 집이라... 노부부가 사셨다는 이야기는 들었어요.”
미래가 현관문을 열고 일식은 가구를 들고 현관으로 들어선다. 일식은 거실에 가구를 내려놓고 주위를 둘러본다.
“남편은 언제 퇴근하세요?”
“주말에 와요”
“군인 이신가 봐요?”
“아뇨, 엔지니어예요.”
“아... 엔진 고치시는구나. 아니, 근데 어떻게 이렇게 시골까지 오셨데요? 여기 고라니도 많고 가을에는 멧돼지도 조심해야 돼요. 참 그 뭐야... 너구리도 진짜 조심해야 돼요. 너구리가 귀엽다고 막 만지고 그러면 큰일나요. 그놈이 생긴 건 귀여워도 성격이 지랄 같애서 잘 물거든요. 너구리한테 물리면 바로 병원 가야 돼요. 광견병 걸려요.”
미래가 일식의 말을 듣고 놀란다.
“아, 그래요? 시골 생활이 처음이라...”

갑자기 미래가 활짝 웃으며 자랑스럽게 이야기한다.
“아! 저 두더지도 본 적 있어요. 책에서만 보고 실제로 본 건 처음이에요. 털이 완전 반짝 거리던데요?”
미래의 말을 들은 일식이 난처해한다.
“아이 씨, 그눔의 두더지 때문에 골치에요. 고구마를 다 파먹어요. 두더지 덫을 놔도 하나도 안 잡히더니만, 이쪽에서 돌아다니고 있었네.”
자랑스럽게 말하던 미래는 어색한 웃음을 지어 보인다.
“아... 그렇군요.”
일식이 벽난로 쪽으로 간다.
“이 벽난로 설명 들으셨죠?”
“아니요? 왜요?”
“태영이 엄니가 젓갈 보관한다고 굴을 팠는데, 집을 새로 올리면서 그 굴을 안 막았어요. 여기 이 벽난로 옆이 그 굴로 들어가는 입군데... 겨울에 찬바람 엄청 들어와요. 그래서 꼭 벽난로 때야 돼요. 나무 파는데 전화번호는 아시죠?”
미래는 시골 생활에 대해 전혀 아는 것이 없는 자신이 부끄럽기만 하다. 포기한 듯한 미소를 지어 보이며 자신 없게 대답한다.
“아니요.”
일식은 미래의 대답에 놀라 다시 묻는다.
“아니, 그럼 겨울을 어떻게 나셨데요? 석유값이... 감당이 안 됐을 텐데... 하아~ 부동산 새끼들, 그 놈들은 계약서에 도장만 찍으면 그만이라니까요. 그럼, 지난겨울에 화목보일러를 안 때셨어요?"

미래는 자포자기한 미소를 짓는다.

"화... 목 보일러요? 그게 뭐죠? 저는 석유를 넣고 보일러 돌렸는데 석유 말고 나무도 되는 거에여? 그럼? 보일러는 하나밖에 없던데..."

일식이 놀라 묻는다.

"석유 넣을 때 얘기 안 해주던가요? 어휴~ 이거 화목 겸용이라 나무 넣으면 싼데..."

거실 한가운데서 머리를 긁적이며 고민한다.

"그럼, 이번 겨울에는 나무 때실 거죠? 여기는 겨울에 나무 때야 돼요. 뭐, 대충 아시겠지만 여기가 산속이라 겨울에 보통 영하 17도까지 내려가거든요. 아... 그러니까 예전에는 영하 25까지 내려가기도 하고 그랬는데, 지금은 강원도도 많이 따듯해져 가지고 영하 17도까지만 떨어진다고 보시면 돼요."

"그게... 저도 그거까지는 생각을 못하고 이사를 와서요. 춥긴 춥더라구요. 그나저나 나무 땔려면 어떻게 해야 돼요? 음... 11월쯤에 아기가 태어나거든요. 사장님 덕분에 올겨울은 따듯하게 나겠네요."

일식이 당연한 듯 대답한다.

"아... 그거야, 나무는 전화하면 갖다주죠. 그나저나 그... 수도에 열선은 깔았죠?"

"네? 그게 뭔데요?"
일식이 머리를 긁으며 난처한 듯 묻는다.
"하아~ 수도가 안 얼었어요? 운이 좋았네요. 한번 녹이려면 20만 원은 기본인데... 하아~ 이걸 어쩌나... 제가요 지금 점심을 먹다 왔거든요."
일식이 집수리, 누수 탐지, 샤시 라고 써진 명함을 내민다.
"거... 겨울될라믄 아직 멀었으니까, 제가 한번 들를게요. 저도 집이 이 근처거든요. 뭐 안 되는 거 있으면 이리로 연락을 주시구요."
일식은 급하게 나가며 신발을 신다가 무엇이 생각난 듯 다시 돌아본다.
"저기 그 계단 밑에 창고 있는거는 아시죠?"
미래가 이번에는 자신 있게 대답한다.
"네, 그건 알아요. 오늘 정말 감사했습니다. 안녕히 가세요!"
미래가 문밖에까지 나와 배웅한다. 일식은 친구들이 모여있는 국밥집으로 향한다.

일식은 반주를 즐기고 있는 친구들을 찾아 자리에 앉는다. 친구들이 일제히 한마디씩 한다.
(친구들이 영서지방 억양으로 이야기한다)
"야 너는 밥 먹다 어디를 갔다 온 거야?"
"야! 국 다 식었다. 어여 먹어라."

친구는 식탁 중앙에 있는 가스버너에 다시 불을 당긴다.
“어디 멀리 갔다 온 거니?”(사투리)
일식이 국밥을 먹으며 자신에게 일을 부탁한 친구를 찾는다.
“이 새끼는 온다더니 안 왔네? 니들 옛날 태영이네 집 알지?”
친구들이 일제히 대답한다.
“알지.”
“지금 거기 다녀왔는데 누가 이사를 왔더라니. 서울 사람 같던데. 아니 글쎄 무슨 깡으로 온 거인지. 화목 보일러도 몰라, 열선이 뭔지도 몰라, 아무것도 모르드라구. 그런 깡시골을 어이 알고 이사를 왔는가 몰라.”
또 다른 친구가 걱정스러운 표정으로 사투리를 써가며 묻는다.
“태영이 아버님 돌아가시지 않았니? 아, 몇 년 전에 우리 다 조문 갔었잖아. 엄니는 거기 아니 사시는거나?”
일식이 대답한다.
“응, 어디로 이사 나가셨능가 봐. 뭐, 병원 가까운 읍내로 가지 않았겠니? (사투리) 거기 버스도 하루에 한 대밖에 없지 않나? 근데 여자가 혼자 있더라구. 남편은 그 엔진을 고친다는데 주말에나 온다니(사투리) 겨울에 아기가 태어난다는데? 임산부가 간도 크게 그렇게 큰

집에 그렇게 외딴곳에서 어케사니?"(사투리)
또 다른 친구가 말한다.
"그러게, 왜 그랬다니?"(사투리)
일식이 답답하다는 듯 말한다.
"아니, 그러니까 그거를 내가 어찌 아니?"(사투리)
다른 친구가 말린다.
"자자, 그러지들 말고 너희가 열은리에 일 있을 때 한 번 들여다보라. 겨울에 보일러라도 터지며는 어케하니?"(사투리)
일식이 대답한다.
"맞다. 내가 그렇지 않아도 그럴 생각이었다. 까져 먹지 말고(사투리) 잘 챙겨야지."

7월이 된 여름 미래는 거실에서 TV를 켜놓고 계단 밑 공간은 쓸고 닦고 정리하고 있다. 꽤 아늑해서 맘에 들어 흡족한 표정을 짓는다. 미리 사서 꽂아둔 동화책을 만지작거리며, 표지에 있는 주인공 토끼를 손가락으로 따라 그려본다.
집안에는 정적이 흐르고 아무도 없는 집은 유난히 더 커 보인다. 밤이 되자 낮과 다르게 으스스한 분위기의 집안에 잔뜩 신경이 곤두선다. TV를 틀고 바느질로 손수 아기 배냇저고리를 만든다.
TV 옆 베란다 커튼 옆에 검은 그림자가 서 있다. 그 그림자가 살짝 움직이며 집안을 관찰하려 하지만 미래는 바느질을 하느라 눈치채지 못한다. 남자 형상이 베란다를 여유 있게 지나가도 미래는 바느질과 TV에 집중하느라 눈치를 못 챈다.

그림자가 소파 쪽 앞 베란다 창문으로 지나가자, 미래가 그제야 눈치채고 고개를 돌려본다. 미래는 검은 그림자의 끝자락만 보게 되고 소스라치게 놀라 손에 있던 손수 만들던 아기 옷을 떨어트린다.

정적 속에서 분명 자기가 잘못 봤을 거라 생각하고, 애써 무시하려 하지만 불안한 마음에 문이 잠겼는지 확인하고 베란다 방범창이 잘 잠겼는지 확인하고 커튼을 다 치고 TV 소리를 높인다.

그때 밖에서 무엇을 부수는 소리가 들린다. 불안을 느낀 미래는 분명 누군가가 있다는 것을 확신하고 남편에게 전화를 건다. 초조한 마음으로 준서가 전화를 받길 기다리지만, 통화음이 여러 번 울려도 웬일인지 전화를 받지 않는다.

4~5명의 남자들이 경북의 공업단지 앞 삼겹살집에서 삼겹살에 소주를 먹으며 이야기를 나눈다. 탁자 위 준서의 핸드폰이 뒤집어져 놓여있고 진동이 계속 울리지만, 준서는 알지 못하고 계속 이야기가 한창이다. 지호의 취한 목소리가 삼겹살집에 쩌렁쩌렁하게 울린다.

"아~ 진짜 선배님이 실수한 거 맞잖아요. 그 버그 때문에 오늘 하루 완전 삘짓한 거에요."

준서는 술 취해서 얼굴이 벌개가지고 억울한 듯 이야기한다.
"야! 인마, 내가 그걸 진작에 알았으면 바로 수정했지. 어쨌든 미안하다. 그래도 오늘 잡은 게 어디냐, 안그랬으면..."
옆에 앉은 동료가 갑자기 취해서 준서를 흉내 내기 시작한다.
"내일도 오늘처럼 어... 왜안되지? 하다가... 큰소리 또 오가고 막 ...어리버리하게 ..."
또 다른 동료가 취한 목소리로 준서를 바라보며 엄지를 내보인다.
"결론은요... 과장님 파이팅!! 자, 자, 건배!"
그때 전화기 진동이 멈춘다.

미래는 안절부절못하고 주저하다가 소리가 나는 쪽 커튼을 살짝 열어서 무엇이 있나 살펴본다. 그때 커다란 도끼가 눈앞에서 쓱 올라간다.
미래는 너무 놀란 나머지 소리를 지르고 주저앉는다.
"악~~"
"악~~~"
그때 덩달아 놀란 일식이 장갑 낀 손으로 창문의 방범창을 붙잡고 흔들어 대기 시작한다.
"사모님! 사모님!"
미래는 소리 지르며 뒷걸음질 친다.

"사... 사람 살려!!!"

일식이 당황한 목소리로 방범창을 흔들며 미래를 진정시키려 한다.

"아이구, 사모님! 사모님 저예요. 많이 놀라셨어요? 도둑 아니니까네... 소리 그만 지르세요."

미래는 주저앉은 채로 소리친다.

"누구세요! 밤에 남의 집에서 뭐 하시는 거냐구요!"

일식이 나무가 쌓여있는 창고에서 영서지방 억양의 사투리로 미래에게 설명한다.

"사모님 그러니까, 제 말을 다시 잘 들어보세요. 장작은 10만 원 20만 원 이렇게 살 수 있는 게 아니고요. 한 차 두 차 이렇게 살 수 있다니까요."

답답하기는 미래도 마찬가지이다.

"그러니까 왜 그렇게 하냐구요. 여기 이렇게 장작이 있잖아요. 근데 왜요? 뭐가 문젠데요?"

일식이 답답함에 가슴을 치며 말한다.

"아줌니, 아니, 사모님. 지금이 여름이긴 해도, 얼마 안 있으면 겨울이 올 텐데... 화목보일러에 나무를 넣어야 보일러가 돌아가겠죠?"

미래는 나무를 가리킨다.

"그러니까 여기 나무가 이렇게 많이 있잖아요."

나뭇더미 뒤로 검은 형체의 망토 끝자락이 보이지만 둘 다 눈치채지 못한다.

일식이 이번엔 타이르듯이 말한다.
“사모님? 이걸로 한 달밖에 못 때요. 보일러를... 이게 많은 게 아니라구요. 아니, 무슨 캠핑장 장작을 생각하시면 안 되죠, 예?”
미래도 할 말이 많다.
“아니, 사장님. 나무가 이렇게 많이 있는데... 이게 모자른다구요? 아니, 도대체 얼마나 많이 쌓아놔야 하는 건데요? 정말 이해가 안 가서 그래요.”
일식이 머리를 긁적인다.
“이럴 줄 알았다니까니.(사투리) 그래서 제가 장작이 얼마나 남았나 지나가다 보려고 온 거잖아요. 아니, 그럼 올해도 석유로 겨울 나실거에요? 제가 장작 장수도 아니고 사모님 도와줄라고 이라는 거라구요. 좀 있으면 애기도 태어난다믄서요. 그니까 장작 주문하실 거에요? 마실 거에요?”
미래가 마지못해 묻는다.
“그래서 한차가 얼만데요?”
일식이 곰곰이 나무더미를 바라보며 생각한다. 그때 나뭇더미 밖으로 보였던 검은 망토가 사라지고 안 보인다.
“요즘엔 좀 많이 올랐으니까 한... 100에서 150 만원 생각하시면 돼요.”
미래가 어이없는 표정을 짓는다.
“에? 나무가 그렇게 비싸요?”

일식이 또다시 타이르듯 말한다.
“사모님, 그거면 1년도 넘게 때요. 어쨌든 지금은 늦었으니까, 아침에 전화를 할게요. 여기에 나무 한차 보내라고요. 미리미리 나무를 채워야지 막상 겨울에는 빨리빨리 안 갖다줘요. 아무래도 그때 주문이 밀리니까요. 사모님 임신도 하셨으니까 춥기전에 미리 채워놓으면 좋디요. 갑가지 추워지며는, 그... 운나쁘면 엄청 기다려야 된다 말이디요.”
미래는 비싼 장작값이 이해가 안 가 의심스런 눈빛으로 일식에게 마지못해 인사를 건넨다.
“네, 어쨌든 감사해요. 놀라긴 했지만... 그러니까 내일 장작이 온다 이거죠? 그럼 그걸로 벽난로도 때면 되는 거에요?”
“벽난로에는 큰 걸 너며는 안되지요(영서지방 억양)
벽난로용 장작도 따로 팔기도 하는데... 여기 도끼있디 않아요? 이걸로 패서 짜개서 써도 돼요. 이게 요령이 있는데, 하~ 어떻게 설명을 해야 되지?”
일식은 의심스런 눈초리로 미래를 내려다본다.
“근데 혹시... 사모님 장작 팰 줄 알아요?”
미래는 어이없는 질문에 아무 대답이 없이 고개를 설레설레 흔든다.
답답한 일식이 혼잣말로 넋두리한다.
“서울 촌놈이라더니, 이럴 때 쓰는 말이구나야.”
미래 어이없는 표정을 짓는다.

"네?"
일식이 흠칫 놀라며 손사래를 친다.
"아니, 아니에요. 남편분은 할 줄 아시겠죠? 아... 이게 장작 패는 게 요령이 있어서 잘 못하면 힘만 들고 안 짜개져요."
미래는 새침한 말투로 대답한다.
"뭐, 그건 알아서 작은 걸로 골라서 때면 되지 않을까요? 그건 뭐 저희가 알아서 할게요. 걱정 안 하셔도 되요."
일식은 문득 뱃속의 아기가 걱정된다.
"아~ 예, 어쨌거나 밤에 와서 놀라게 해서 죄송해요. 일이 있어서 들어왔다가 집에 들어가는 길에 이 앞에 지나가다 생각이 나서, 장작이 얼마나 있나 보고 간다는 게... 그렇게 놀라실 줄은 몰랐다니요.(사투리) 뱃속 애기는 많이 안 놀랐지요?"
대답하는 미래의 목소리에 힘이 없다.
"네, 괜찮아요. 어두운 데 조심히 가세요."

12. 친구들

더위가 가신 8월 끝자락의 어느 날 오후.
미래의 임신을 축하하기 위해 친구들이 모이기로 한 날이다. 바베큐 파티를 하기 위해 친구들이 하나둘 도착한다. 시골길이라 주차단속이 없어 마당 안팎에 주차하고 서로 인사를 나누며 각자 준비하기로 한 물건들을 내리고 바비큐 파티를 준비한다. 진주가 미래를 반갑게 안는다.
“미래야 축하해. 너도 드디어 엄마가 되는구나?”
“고마워 니가 많이 도와줄 거지?”
“그동안 고생 많았다. 이제 고비 넘겼으니까 순산할 생각만 해. 참, 너 줄려고 맛있는 거 많이 싸 왔어.”
하영이 짐을 풀며 이야기한다.
“그래? 고마워. 와 맛있겠다!”
마당에 테이블을 펴고 캠핑용 의자에 앉아 즐거운 시간을 보내는 친구들. 하영은 커다란 바베큐 그릴에 고기를 굽고 있고, 진주는 기다란 꼬치에 고기를 끼우고 있다. 진주의 아이들은 모처럼 시골에서 맘껏 뛰놀고 있다.
진주가 꼬치에 꽂은 고기를 구우며 금숙에게 말을 건넨다.

“로라야 너 저번에 성도 간다고 하지 않았니?
어떻게 됐어?”
금숙이 대답한다.
“어 그거? 아버지 사인이 있어야 된데. 아버지한테 말했다가 욕만 패대기로 먹었다 야. 근데 미래야.
여기 경치 진짜 좋다. 너 정말 여기 이사 오길 너무 잘한 거 같애. 니 덕분에 이렇게 바베큐 파티도 하고 말이야.”
그때 금숙을 계속 못마땅하게 지켜보고 있던 안나가 입을 연다.
“금숙아, 아니 로라야! 내가 아까부터 쭉 지켜봤는데...
너 가슴에 뭐 했지?”
금숙이 환하게 웃는다.
“어머~ 눈치 빠르긴. 저번에 다이어트 너무 심하게 해서 가슴이 많이 줄었잖아. 내가 얼마나 속상했는지 알아? 그래서 이번에 신데렐라 성형외과에서 이벤트 한다고 해서 갔더니, 원장님이 단골이라고 더 싸게 해줬어. 물방울 모양으로... 참, 너희들은 잘 모르겠지만 크다고 처져 보이지 않게 요기랑 요기.”
금숙은 손으로 가슴을 콕콕 찍으며 만족감을 주체하지 못해 몸을 비비꼬며 웃는다.
하영이 안타까운 말투로 금숙에게 이야기 한다.
“금숙아~ 안해 도 예뻐. 너 외모에 너무 신경 쓰는 거 아니야? 그러다 성형 중독된다. 너.”

금숙이 정색한다.
“야! 너 샘나면 그냥 샘난다고 해! 그렇게 돌려 까지 말고.”
미래가 친구들의 눈치를 본다.
“니네 진짜 싸우는 거 아니지? 야야 좋은 날 왜 그래. 어? 자 고기 먹어.”
진주가 미래를 보며 못마땅한 듯 말한다.
“미래야, 조금 있으면 금숙이 남자 친구 올거야. 여기로 불렀단다.”
미래가 갑작스런 상황에 난처해한다.
“어... 그래? 그 사이에 남자가 생겼어? 잘...됐네... 방도 많은데, 쉬었다 가.”
진주가 이를 악물며 화를 참아가며 말한다.
“야, 금숙아 너 생각이 있는 거니? 없는 거니? 여기 우리 애들도 왔는데, 데이트를 할거면 가까운 모텔을 갈 것이지 여길 왜부르냐고!”
금숙이 기분 나쁜 듯 팔짱을 끼며 받아친다.
“야! 너두 저번부터 내가 좀 거슬렸는데 너도 나 샘내니? 내가 남자들한테 인기 많아서?”
진주가 기다란 바비큐 꼬치를 들고 금숙에게 다가오며 말한다.
“야! 너 지금 뭐라 그랬어! 어? 이게 진짜.”
미래가 진주를 말린다.
“진주야, 너까지 왜 그래, 위험하게... 그거 내려놓고 얘기해."

친구들이 진짜 싸움이 날까 봐 말린다. 그때 외제 차 한 대가 밭 옆 길가에 차를 댄다. 차 안에서 백인 남자가 내린다. 금숙이 요염한 자태로 달려가 안긴다.

"어우 마이크, 왜 이렇게 늦었어! 응?"

마이크가 금숙을 안으며 영어로 이야기한다.

"oh my angel! I missed you so much!"

둘이 모든 사람 앞에서 서로 끌어안고 딥키스를 한다.

진주가 작은 소리로 금숙을 욕한다.

"저런 미친년, 이럴 줄 알았어."

다시 자리를 잡고 앉은 친구들은 금숙과 마이크와 파티를 즐기며 담소를 나눈다.

마이크가 금숙과 나란히 앉아 친구들을 보며 한국말로 인사한다.

"안녕하세요? 저는 마이크입니다. 저는 미국 사람입니다. 저는 로라를 싸랑해요."

친구들이 일제히 웃으며 한마디씩 인사를 건넨다.

"한국말 잘하시네!"

"영어 선생님이세요?"

금숙이 끼어들며 으스대듯 말한다.

"응! 강남 어학원."

금숙이 마이크에게 음식을 권하며 입에 넣어준다. 미래가 하영을 보며 그간의 근황을 묻는다.

"참 전시회 어떻게 됐어? 못 가서 미안해."

하영이 웃으며 대답한다.
"미안하긴 너 몸조심해야지. 이번에 작품이 꽤 팔렸어. 생각보다 반응 좋았어. 난 좀 걱정했는데 말이야."
"부럽다. 나는 애들 때문에 진짜 하루가 어떻게 가는 줄 모르겠다. 완전 전쟁이야. 내 시간이 없으니까, 남편한테 자꾸 짜증만 내게 되고..."
진주의 말에 미래가 답한다.
"나는 진주 니가 부러운데? 애들하고 정신없이 보내는 거. 내가 진짜 꼭 해보고 싶었던 거잖아. 나는 세 명 정도 낳고 싶은데, 그게 될지 모르겠어. 하나도 겨우 생겼으니..."
진주가 놀란다.
"셋? 너 장난하니? 너 그런 무서운 농담 함부로 하는 거 아니다. 다 돈이야 돈! 너 진짜 떼돈 벌어야 돼!"
진주의 아이들이 뛰어놀다가 엄마한테 와서 고기를 달라고 한다.
"엄마! 나 고기. 엄마 근데 이 아저씨 누구야?"
진주의 아들이 묻자, 친구들이 일제히 금숙을 본다.
금숙은 마이크의 무릎 위에 앉아서 부둥켜안고 있다. 마이크도 남들 시선을 신경 쓰지 않고 금숙의 얼굴을 쓰다듬으며 애정 표현을 한다.
하영이 진주를 보며 작은 소리로 말한다.
"야, 애들도 있는데... 말려야 되는 거 아니야?"
미래가 조심스런 말투로 이야기한다.

"저기... 금숙아... 금숙아?"
금숙은 마이크의 목을 끌어안은 채 분위기 파악 못하고 이야기한다.
"아니, 우리 마이크가 나를 이렇게 사랑한다니까!"
금숙은 애교스런 자태로 마이크의 어깨를 툭 치며 말한다.
"내가 하지 말래두... 의그 진짜. 근데 미래야! 우리는 2층 방 쓰면 되는 거지?"
미래가 당황한다.
"어? 벌써 들어가게?"
금숙이 마이크의 가슴을 매만지며 말한다.
"우리 먼저 올라가서 쉴게. 우리 마이크가 많이 피곤한가 봐. 얘들아, 미안~"
금숙은 마이크의 손을 잡고 일어서며 영어로 이야기한다.
"커먼 마이크!"
금숙이 집 안으로 들어가자 안나가 벌떡 일어선다.
"아니 저런 미친년을 봤나."
친구들이 일제히 말린다. 진주가 안나의 팔을 붙잡는다.
"안나야! 오늘 하루 잘 참을 수 있지? 금숙이 없으니까 조용하고 좋은데 왜? 안 그래? 얘들아?"
친구들이 저마다 달갑지 않은 표정을 짓는다. 진주가 고기를 뒤집으며 이야기한다.

"쟤네들 신경 끄고 우리나 맛있게 먹자고. 우리 다 먹고 들어가면 볼일 다 끝났겠지? 난 우리 애들 앞에서 물고 빠는 거 보다, 차라리 들어가서 한 번 하는 게 낫다고 본다."

파티는 금숙이 때문에 어수선해지고 친구들 기분도 그다지 좋지가 못하다. 금숙과 마이크는 2층에 올라가서 감감무소식이고, 나머지 친구들은 거실에 둘러앉아 차와 과일을 먹으며 이야기꽃을 피운다.
진주의 딸이 오빠와 함께 달려오며 안나에게 말한다
"엄마, 엄마 나 비밀공간 찾았어."
진주가 과일을 먹으며 묻는다.
"비밀공간? 그런 게 있어?"
미래가 살짝 웃는다.
"아~ 너희들 계단 밑 창고 얘기하는 거구나?"
그때 2층에서 우당탕 소리가 난다. 친구들이 일제히 2층 쪽을 바라본다. 하영이 걱정스런 표정으로 말한다.
"무슨 일 있는지 올라가 봐야 되는 거 아니야?"
안나가 짜증스럽게 이야기한다.
"야~야~ 애들아! 우리 지금 올라가면 완전 실례인 거 알지? 저런 썅년을 봤나."
진주가 거든다.
"나도 반대다. 아이들 정신건강에 완전 해로와. 그리구, 너 우리 애들 앞에서 제발 욕 좀 하지 마!"

안나가 뜨끔한 표정을 짓는다. 진주가 아이들을 보며 이야기한다.

"얘들아, 계단 밑에 있는 거 그거 창고야. 그런데 들어가면 안 돼, 먼지 많어."

미래가 진주를 보고 웃는다.

"창고 구경 한번 해볼래?"

미래가 창고 문을 열며 자랑한다.

"짜자 잔! 어때 이쁘지?"

원래 빗자루와 청소기 같은 잡동사니를 넣어두는 창고를 아이가 태어나면 놀게 해주려고 깨끗하게 정리하고, 온통 핑크색으로 장식해 놓았다.

"와! 이게 다 뭐야? 이거 다 니가 꾸민 거야?"

진주가 놀라며 구석구석 살핀다.

"여기도 공간이 꽤 되는구나! 진짜 비밀 공간이네? 애들이 좋아하게 잘 꾸몄네!"

진주의 딸이 엄마에게 떼쓴다.

"엄마 나 오늘 여기서 잘래. 나 여기가 좋단 말이야."

그때 또다시 2층에서 쿵 소리가 난다. 순간 진주가 천정을 바라본다. 다른 친구들도 이야기를 나누다가 쿵 소리에 멈칫 하지만, 다시 과일을 먹으며 이야기를 이어 나간다.

미래가 웃으며 진주의 딸에게 말을 건넨다.

"그럴래? 여기 맘에 들어? 여기 이모가 이쁘게 꾸민 거야. 여기 뱃속에 공주님 태어나면 같이 놀아줄려고."

"네 이모, 너무 예뻐요! 나 여기서 살고 싶다."
딸의 말에 진주와 미래가 웃는다. 진주도 자기 아이들의 어깨를 쓰다듬으며 말한다.
"우리 튼튼이 태어나면 자주 놀러 와야겠다. 아까 낮에 보니까 이 앞에 냇가도 있던데? 여기 아이 키우기에 너무 좋은 것 같애! 미래야. 너무 부럽다."

다음 날 아침 친구들이 일제히 집에 가기 위해 하나 둘 짐을 챙겨 나온다.
"금숙이는 왜 안 내려와? 아직도 자?"
하영의 물음에 진주가 짜증스러운 표정으로 대답한다.
"얘, 말도 마. 어젯밤에 모텔을 가는 건지 차 타고 갔어."
미래가 황당한 표정을 짓는다.
"인사도 안 하고 갔다고?"
하영도 믿을 수 없다는 듯 다시 묻는다.
"진짜 간 거 확실해? 올라가 봐야 되는거 아니야?"
그러자 진주가 어제 외제 차가 주차되어 있던 자리를 턱으로 가리킨다.
"봐~ 갔잖아."
진주는 귀찮은 표정을 지으며 짜증스럽게 말한다.
"야~ 니네 앞으로 내 앞에서 그년 이름도 꺼내지 마. 완전 짜증 나. 나 그년하고 절교할 거야. 니들 다 들었지?"

하영도 실망한 표정을 감출 수가 없다.
“근데 이번엔 좀 심하긴 했어. 걔가 원래 이랬었나? 이혼 두 번 하더니 사람이 좀 변한 거 같애.”
초대한 미래가 괜히 친구들에게 미안하다.
“내가 전화 한번 해볼게. 차 막히기 전에 어서들 출발해. 와줘서 고맙구.”
진주가 차에 오르기 전 미래에게 당부한다.
“내 말 안 잊었지? 양수 터지면 바로 병원, 혼자면 바로 구급차 오케이?”
“응, 알아 그만 좀 해. 나 간호산 거 잊었어?”
미래의 답에 하영이 웃으며 말한다.
“맞다. 우리가 잊고 있었네. 신세 많이 지고 간다.
담에 볼 때는 조카도 같이 보겠네?”
미래가 임신 7개월인 배를 만지며 미소 짓는다.
“당연하지, 우리 튼튼이 이모들한테 인사해야지? 운전들 조심하고, 애기 낳으면 연락할게.”
친구들이 하나씩 미래를 안아준다. 마지막 차까지 손을 흔들며 배웅하고 집으로 들어온다. 문을 닫고 문에 기대서서 손님 대접이 힘들었는지 한숨을 푹 쉰다.
미래는 손님들이 다녀간 집 안을 정리하기 위해 2층으로 올라가 금숙이 머물던 방문을 연다. 그때 바닥에 머리가 흐트러진 채 피를 흘리고 쓰러져 있는 금숙을 보고 뒷걸음질을 친다. 한동안 너무 놀라 움직이지 못하다가 이내 비명을 지른다. 미래는 이성을 잃고 손으로 머리를 감싸며 뒷걸음질 치며 연신 비명을 지른다.
“악～～～～～～～～～～”
“악～～～～～～～～～～”

13. 불청객

마당에서는 경찰들이 신고를 받고 출동해 미래에게 어제 일에 관해서 묻고 있고, 방호복을 입고 KCSI(과학수사팀)이라 쓰여진 조끼를 입은 요원들은 사건이 일어난 방에서 지문, 혈흔, 범행 도구 등을 수집하며 이곳저곳 부지런히 사진기 셔터를 눌러댄다. 뒤이어 구급차가 금숙의 시체를 옮기고 있다.

김병훈 형사가 미래에게 어제 있었던 일에 대해 자세히 질문한다.

"그러니까 어젯밤 9시경에 2층에서 쿵쿵거리는 소리가 났다는 거죠? 그 마이크 씨라는 분은 연락처를 아시나요?"

미래는 공포에 질려 말을 더듬는다.

"아뇨, 저희도... 미국 사람... 아니 어제 처음 본 사람이라... 말도 몇 마디 못 해봤어요. 한국말을 잘 못하고... 그... 강남 어학원에서 일한다고... 그것만 들었어요."

후배 형사가 집안에서 뛰어나오며 김 형사를 부른다.

"김 형사님, 다 돼 갑니다. 샘플 채취도 다 했고, 사진도 최대한 많이 찍었고, 이제 폴리스 라인만 마저 치면 될 것 같습니다."

"뭐 좀 건졌어?"

김 형사의 질문에 후배 형사가 대답한다.
"피해자 핸드폰하구... 담배, 라이터, 콘돔하구... 그 안에 정액이 있구요. 그리고 범행도구에 지문은 없는데요. 마치 수건으로 닦은 것처럼요. 지문은 몇 개 떴는데 딱 봐도 범인 것 같지는 않습니다. 여기저기 널려 있는 게 숨기려 한 거 같지도 않고..."
"일단 가지고 가서 국과수에 보내 보자고."
김병훈 형사는 후배 형사에게 지시하고 미래의 배를 보며 걱정스런 표정으로 말한다.
"음... 죄송하지만 경찰서에 가셔서 몇 가지만 진술을 좀... 해 주셔야겠습니다."

고운경찰서 강력계 사무실에서 분주한 경찰들 사이로 미래가 참고인조사를 받고 있다. 김병훈 형사는 임신한 미래를 보고 염려가 됐는지 친절히 말한다.
김 형사는 노트북에 열심히 타이핑하면서 조사를 마무리 지으며 미래에게 말을 건넨다.
"음... 어려운 걸음 해주셔서 감사합니다. 저희도 수사에 진전이 생기면 연락을 드리겠습니다. 아... 집까지 가실 수 있겠어요? 태워다 드릴까요?"
"아니요, 괜찮아요. 감사합니다."
미래의 목소리에 힘이 없다.
그 순간 연락을 받고 온 준서가 경찰서로 급하게 들어온다. 준서는 미래를 찾으며 두리번거리다 미래를 발

견한다. 황급히 미래에게 다가와 걱정스러운 말투로 미래를 이리저리 확인한다
“미래야 괜찮아? 어디 다친 건 아니지?”
갑작스런 살인사건 소식에 놀란 준서가 김병훈 형사를 바라보며 묻는다.
“아니, 이게... 도대체 어떻게 된 일입니까?”
김병훈 형사가 자리에서 일어선다.
“아, 남편분이시군요. 많이 놀라셨죠? 뭐... 미리 말씀은 들으셨겠지만, 장미래 씨가 거주하시는 집 2층에서 일어난 살인사건입니다. 장미래 씨는 그냥 참고인으로 간단하게 조사를 받으셨구요. 일단 집에 가셔서 기다리시면, 저희가 조사가 진행되는 데로 상황을 전해드리겠습니다. 아, 참 그리고 2층에는 폴리스 라인이 쳐져 있는데, 당분간은 2층에 올라가시면 안 됩니다.”

집에 도착한 준서가 미래를 부축하며 집으로 들어온다. 준서가 식탁에 앉으며 놀란 미래를 위해 주스를 건넨다.
“미래야 우리 이사 나가야 되는거 아니야? 어떻게 살인사건이 난 집에서 애를 키워? 난 자신 없어.”
“그러게, 출산일도 다가오는데... 당신 이번 프로젝트 끝나면 그다음은 고운군 이라며... 그럼 여기서 멀리는 못가지. 열은리 읍내로 알아볼까? 그나저나 계약기간이 한참 남아서 집을 새주고 나가야 하는데... 이 집에 들

어오려는 사람이 있을지 그것도 문제네."

미래의 말에 준서가 발끈한다.

"지금 그게 중요해? 일단 내가 일하는 데로 와. 같이 있자. 여기 옆집도 없고 너무 외져서 아무래도 너무 불안해."

"자기 모텔에서 지내잖아. 짐은 다 어떡하고 그 좁은 데서 어떻게 같이 지내?"

준서가 머리를 긁적인다.

"그러게... 내가 지금 맡은 프로젝트 급한 거 마무리 짓는 데로 올라올게. 그전에 서울이든 경북이든 읍내든 일단 집 구하고, 내가 올라오는 데로 이사하자고 응? 그동안 친정에 가 있을래?"

미래가 고개를 젓는다.

"싫어, 엄마 수선떠는 것도 생각만 해도 부담되고... 안 편해. 나 그냥 일단 당신 올 때까지 있어 볼게. 참, 당신 일하다 말고 온 거 아니야? 내려가야 되지? 내 걱정 말고 어서 가."

"그러게, 너무 놀라서 나도 지호한테만 말하고 급하게 왔어. 빨리 가봐야 돼."

준서는 급하게 가방을 들고 신발을 신으며 미래에게 당부한다.

"문 잘 잠그고! 나도 틈틈이 집 알아볼게. 문단속 잘하고, 창문도 꼭 잠그고, 무슨 일 있으면 바로 전화하고."

미래는 준서를 안심시키기 위해 억지로 미로를 짓는

다.
"응... 걱정마. 별일 없을 거야."

14. 파란 지붕집

미래와 진주가 통화하고 있다. 진주는 전화를 받으며 커피를 탄다.

"그럼... 좀 전에 애들 유치원 갔지... 그나저나 너 진짜 괜찮어? 아니 막말로 우리 시체랑 밤에 같은 집에서 잔 거잖아. 근데 그 마이크라는 사람 첨부터 좀 이상했어 난. 금숙이 걔도 어디서 뭐 하는 사람인지도 모르고 그렇게 아무나 막 만나고 돌아다니냐? 진짜 니가 많이 놀랐겠다."

주방 식탁에 앉아 진주와 통화하는 미래가 대답한다.

"나 진짜 애기 잘못되는 줄 알았잖아. 얼마나 놀랐는지 알아? 진주야, 나 여기서 하루도 더 못 살겠어.집 내놓긴 했는데 여기 동네가 좁구 너무 외져서 누가 들어올 사람이 있을까 모르겠다. 그래도 나 무조건 이 집에서 나갈 거야."

진주가 호응한다.

"그래, 미래야, 잘 생각했어. 새로 들어온다는 사람 없어도 일단 나와. 알았지? 그런데 그 마이크란 남자 말이야. 왜 금숙이를 죽이고 달아난 걸까? 둘이 사이 좋아 보이지 않았어? 난 아직도 믿어지지가 않아."

전화기 너머 미래의 목소리가 들린다.

"사람 속을 누가 아니? 그러게 금숙이도 그냥 첫 번째 남편이랑 화해하지, 바득바득 우겨서 이혼하더니 이게 뭐야. 너무 끔찍해."

진주도 같은 생각이다.

"나도 금숙이 첫 번째 남편이 제일 괜찮은 사람이었던 것 같애. 지금은 다 의미 없는 얘기지만."

미래는 진주에게 속마음을 이야기한다.

"그러게... 진주야. 나 너무 무서워. 죽은 금숙이가 꿈에 나올 거 같애. 나 준서 씨 앞에서는 괜찮은 척했지만, 진짜 너무 힘들다."

진주와 통화를 마친 미래는 마당에서 아기 천 기저귀를 널고 있다. 땀을 닦으며 멀리 밭에서 일하는 사람들을 바라본다.

"어휴, 낮에는 아직도 이렇게 뜨거운데... 농사가 쉬운 게 아니구나."

미래는 들어오자마자 냉장고에서 시원한 물을 꺼내 컵에 따르고 벌컥벌컥 마신다. 낮에 잠깐 일한 게 피곤했는지 땀을 닦고 소파에 벌러덩 누워 자신도 모르게 잠든다. 잠이 들면서 동시에 늘 미래를 괴롭혔던 악몽 속으로 빠져든다.

산부인과 환자복을 입고 진흙밭을 헤매던 미래는 인형들이 많이 놓여있던 건물 안에 들어와 있다. 그곳에서 멀쩡하게 생긴 인형을 안고 있다. 멀리서 아기 울음 소리가 울려 퍼진다. 미래는 그 인형이 자기의 아이인 줄 알고 인형을 안고 달래기 시작한다.
“어이구 내 새끼 울지마 울지마. 엄마 여기 있어.”
그때 문을 두드리는 소리가 들린다. 꿈속의 미래는 인형을 안은 채 문 쪽을 싸늘하게 바라본다.

문을 쿵쿵 두드리는 소리에 미래는 잠을 깬다. 어느새 얼굴에 식은땀이 흘러있다. 땀을 닦으며 몸을 일으켜 문 쪽으로 다가간다. 혹시 경찰이 아닐까 생각해 본다.
“누구세요?”
현관문 한가운데 있는 작은 카메라로 밖을 내다보지만 아무도 보이지 않는다. 무시하고 다시 소파로 가려는데, 다시 쿵쿵 문을 두드리는 소리가 들린다.
미래가 다시 외친다.
“누구세요?”
웬 할머니 목소리가 들린다.
“새댁 문 좀 열어봐.”
할머니의 목소리에 안심했지만, 미래는 문에 고리를 건 채 문을 연다. 키가 작은 할머니가 문밖에 서 있다. 미래는 문을 열고 빼꼼히 문밖을 보며 묻는다.
“할머니, 누구세요?”
느닷없이 할머니가 강원도 사투리로 타박을 한다.
“아유, 새댁 문을 열고 얘기해야지. 이거 옥수수 들고 있는 거 안보이네?"
미래가 고리를 풀고 문을 연다
"아... 안녕하세요? 무슨 일로 오셨어요?"
"아니고 무슨 일은 무슨 일이야! 이사 왔다며?"
할머니는 허락도 없이 채반에 찐 옥수수를 들고 들어와 소파에 앉으며 이야기를 시작한다.
"아니, 새댁 이사를 왔으면 인사를 해야지, 안 그러네? 아무리 서울서 왔다 그래도 이건 아니지 않니?"
할머니가 창밖을 가리킨다.
"저~기 보이지? 파란 지붕. 저기가 우리 집이야."
할머니는 채반에 담긴 찐 옥수수를 건넨다.
"내가 오늘 따서 찐 거니까 이것도 좀 먹어봐."
미래는 옥수수를 건네 받는다.
"아... 감사합니다."
할머니가 걱정스런 표정으로 미래를 이리저리 살피며 묻는다.
"그나저나 괜찮네?"
미래는 영문을 몰라 어리둥절하다.
"네? 뭐가요?"
"아니 여기서 송장 치뤘다믄서? 여기 뭐, 밤에 안 무서워?"

미래가 머뭇거린다.
"좀... 무섭긴 한데... 다시 이사 나갈 거에요."

"그러게 새댁, 벌써 두 번째 아니냐?"

할머니의 두 번째라는 말에 미래가 또다시 어리둥절하다.

"뭐가요? 뭐가 두 번째라는 말씀이세요?"

할머니는 무슨 비밀이라도 말하듯 한다.

"아유, 몰러? 여기 태영이 아부지 돌아가신거이?"

"아~ 알죠, 알아요. 그래서 태영이 어머님이 혼자 사시다가 집을 내놓으셔서 저희가 이사를 오게 된 거 잖아요."

미래의 대답에 할머니가 안타까운 표정을 짓는다.

"그러니까 말이야. 그렇게 건강하고 병원 한번 안가던 양반이 하루아침에 그렇게 됐으니..."

미래가 놀라 묻는다.

"그래요? 건강하셨어요? 그런데 왜 갑자기 돌아가셨데요?"

할머니가 무슨 비밀이라도 알려줄 듯 의미심장한 표정이다.

"거저, 새댁이 모를 줄 알았지. 부동산 새끼들은 다 사기꾼이야. 그러게 믿을 놈이 못 돼."

미래는 입맛이 없어 옥수수를 만지작거리며 할머니를 바라본다.

"새댁, 내가 새댁이 내 딸 같아서 얘기해주는 거야
응? 여기가 말이야 여기 집터가 아주 무서운 곳이야! 글쎄."

"왜요? 귀신이라도 나와요?"
갑자기 할머니가 울먹인다.
"아휴... 아직도 그때를 생각하면 내가 억울해서 잠이 안 와 잠이. 여기가 이렇게 큰집이 아니었어. 조그만 집에 마당이 아주 넓었지. 그런데 6.25 때 여기 이 마을 계곡에서 전투가 아주 치열했다지 뭐이야. 그때야 나는 아주 어렸었디만, 전쟁 끝나고도 빨갱이 놈들이 아주 판을 치고 다녔디. 그때 우리 마을 젊은이들이 여기서 억울하게 총살을 당했다니."(사투리)
할머니가 눈물을 닦으며 말을 이어간다.
"우리 큰 오라버니도 뭣 모르고 나갔다가 빨갱이 놈들한테 당했디 당했어. 이 자리에서 죽은 사람만 서른 명이 넘어. 그때 아주 동네가 난리가 아니었디. 동네 사람들이 서로 자기 가족 시체 찾겠다고 난리 통이 그런 난리 통이 없었다구. 시체를 찾으면 뭐 하네. 찾은 사람들은 또 죽은 거 보고 끌어안고 우는데, 근데 이미 죽은 거를 어케 하니. 나는 그때 어려서 잘 몰랐디마는 그래도 우리 큰 오라버니 얼굴이 어렴풋이 기억이 나."

할머니가 눈물을 훔친다.
"우리 오라버니가 나랑 냇가에 가서 개구리도 잡아서 구워주고 그랬는데, 그 모습이 아직도 눈에 선해, 새댁."
미래는 까맣게 그을린 할머니의 주름진 얼굴과 연신

훌쩍거리는 모습에 측은한 생각이 든다.
"어머, 정말 그런 일이 있었어요? 이 집터에서요? 정말 끔찍하네요."
할머니가 갑자기 미래의 손을 덥석 잡는다.
"새댁 근데 더 억울한 거이 뭔 줄 아나? 우리 외삼촌은 열여덟 살이나 됐을까 그랬는데, 학도병으로 끌려가서 아직도 시체를 못 찾았어. 그래서 우리 엄니가 밤마나 눈물을 흘렸디 않아. 돌아가실 때까지 동생 시체도 못 찾고 어찌하냐고 말이야. 편하게 눈을 못감으셨다니."(사투리)
미래가 측은한 마음에 할머니 손을 맞잡는다.
"어머 어떡해요. 제 남동생도 군대 갈 때, 그... 무연고 전사자 가족 찾는다고 유전자 검사 동의서 작성하고 그랬는데... 진짜 이런 일이 있었네요."
"응, 그래 새댁. 맞어, 이 동네 나 같은 사람이 많어.
지금도 우리 오라버니가 금방이라도 나타날 거 같다 말이디."
미래가 할머니를 측은하게 바라본다.
"평화로운 마을인 줄 알았는데, 그런 아픔이 있었네요."
"그 뒤로 여기서 귀신 봤다는 사람들이 많다니.(사투리) 근데 설마하니 귀신이가써? 입방아찧기 좋아하는 사람들은 뭐, 집터가 안 좋아서 멀쩡한 사람들 죽어 나간 거라고 기러는데, 그거이야 뭐 우리 서방, 내 새끼

그리워하다 보니, 허깨비가 보인 거 아니겠나?"(사투리)

할머니가 갑자기 정색한다.

"야~근데, 내가 생각해도 이상한거이는 태영이네가 여기 이 집에 살고부터 그 아바이가 몸이 아픈 거이야. 병원에 가도 딱히 어디가 어디렇게 아프다 이런 말이 없드라구. 그렇게 시름시름 사람이 말라가더니
아 글쎄 어느 날 갑자기 그... 아무 일 없다가 쓰러져 죽은 거이지.(사투리) 그러니 여기서 누가 살고 싶갔니? 새댁이야 서울서 왔으니까니 아무것도 모르니까 이렇게 살았디만서도, 또 이케 송장을 치렀으니..."

할머니의 말에 미래의 마음이 심란하다.

"그러게요. 이 집에서 두 명이나 죽은 거네요, 그럼."

할머니가 미래의 배를 바라본다.

"그나저나 언제가 산달이디?"

"11월 중순 정도 돼요."

"기래? 얼마 안 남았네? 이 동네서 갓난이 울음소리 들어본디가 몇십 년은 된 거 같디 아마? 기래도 새댁이 이렇게 이웃에 이사 와서 내가 마음이 의지가 되고 좋았는데, 이제 곧 떠나는구나야."

갑자기 할머니가 일어선다.

"아니고 내 정신 좀 봐라. 가마솥에 옥수수 올려놓고 와서는..."

파란 지붕집 할머니는 등이 약간 굽은 모습으로 현관

으로 나간다.
"새댁 무슨 일 있으면 저기 파란 지붕 집에 내가 있으니까, 언제든지 와. 뱃속에 애기도 있는데 몸조심하고 한번 놀러 와 응? 그리고 문 잘 잠그고 조심하라구 알갔디?"
미래가 현관문을 열어준다.
"네, 할머니 감사합니다. 옥수수 잘 먹을게요."
할머니가 나가고 베란다 창문으로 할머니의 뒷모습을 바라보는 미래. 할머니의 어린 시절부터 지금까지의 모습을 상상하니 측은한 생각이 들어 눈을 떼지 못한다.

15. 아픔

은옥이 바닷가에서 바다를 보고 앉아 있다. 바닷바람이 꽤 불고 은옥은 언제나처럼 얼굴을 칭칭 동여매고 있다. 정신 나간 사람처럼 몸을 앞뒤로 흔들흔어대며 무언가를 계속 중얼거린다. 손에는 어디서 주워 모았는지 이끼를 잔뜩 손에 쥐고 있다.
집으로 돌아온 은옥은 냄비에 물을 올려놓는다. 그러고는 무슨 주문을 외우듯이 중얼 거리며 냄비에 이끼를 던져넣듯 집어넣고 휘젓는다.

피곤한 몸으로 퇴근해 집으로 들어오는 준기는 시계를 풀어 탁자 위에 놓고, 옷도 갈아입지 않은 채 침대에 누워버린다. 와이셔츠 차림으로 팔베개를 하고, 누워 멍하니 천정을 바라본다. 여러 가지 복잡한 생각으로 마음이 편치 않다. 이내 어두운 표정으로 생각에 잠긴다.

준서는 기계설비가 한창인 어수선한 공장 한가운데서 기계에 노트북을 연결하고 무언가를 조작한다. 사람들은 바삐게 준서의 주위를 오간다. 잠시 컴퓨터 조작을 멈추고 시계를 보니 곧 어두워질 시간이다. 창밖을 바라보며 미래를 걱정한다.

파란 지붕 집 할머니는 혼자 쓸쓸히 저녁을 먹는다. 김치와 깻잎장아찌가 반찬의 전부다. 밥을 먹다가 거울 앞에 놓인 오래된 사진을 어루만지며 눈물을 흘린다. 오래된 흑백 사진 속에는 초가집 앞에 부부와 6남매가 있다. 할머니는 그 오래된 사진을 가슴에 품고 눈물을 흘린다. 눈물을 훔치고 또다시 사진을 어루만지며 눈물을 흘린다.

미래가 식탁에 앉아 차를 마시며 핸드폰으로 경북 농공단지 근처에 있는 월셋집을 검색하고 있다. 증거 분석이 끝난 2층의 사건 현장에는 경찰들이 와서 폴리스라인을 거두고 동시에 청소업체에서 청소를 시작한다. 미래는 멍하니 창밖을 바라보며 한숨을 짓는다.

16. 새로운 생명

대학병원 로비는 사람들의 분주한 모습으로 활기차다. 의료진들이 급하게 오가는 모습, 환자 보호자와 간호사가 상의하는 모습, 대기하고 있는 환자들의 모습이 그동안의 시골 분위기와 상반되는 바쁜 도시의 생활을 느끼게 한다.

진명호 교수가 미래의 배를 초음파로 보고 있다.
진명호 교수가 초음파를 조작하며 아기를 관찰한다.
"아기 심장 잘 뛰고 머리도 아래로 잘 내려가 있고, 음... 양수가 좀 적은 편이긴 한데, 좀 더 지켜보자고. 애기 잘 놀지? 장 선생?"
미래가 모니터로 아이의 노는 모습을 바라보며 웃는다.
"네 교수님, 얼마나 씩씩 한대요."
미래는 곧 태어날 아이를 생각하니 기분이 들뜬다.
진명호 교수와 미래는 진료실 책상에 앉아서 모니터를 보며 이야기한다.
"지금 1.9kg 정도 되는데 주 수에 맞춰서 잘 성장하고 있어요. 애기 너무 커지면 자연분만 힘드니까 걷기운동 꼭 하구 알겠지? 다른 건 뭐... 걱정 안 해도 되겠어.

장 선생! 그동안 고생 많았어."

미래가 진료실 의자에 앉아 웃으며 대답한다.

"네, 교수님... 좀 서운하긴 했어도 직장 그만둔 거 진짜 잘한 거 같애요. 전 사실 자연임신은 기대도 안 했거든요."

미래의 임신에 진명호 교수도 마음이 한결 가볍다.

"시골이 좋긴 좋은가 봐. 나도 전원생활이 꿈이긴 한데... 항상 마음뿐이야. 그나저나 장 선생 아기 얼굴 볼 날도 얼마 안 남았네? 내가 마음이 아주 뿌듯하고 좋아. 자, 그럼 우리는 한 달 뒤에 볼까?"

미래가 웃으며 인사한다.

"네 교수님, 감사합니다."

서울에 있는 유명 백화점 아기 브랜드 매장에서 미래가 출산 준비물들을 구경하며 기쁜 마음으로 쇼핑하고 있다. 새로 나온 유아용품들을 구경하느라 시간 가는 줄 모른다. 필요한 물품은 다 준비해 놨지만, 핑크색 옷 몇 벌, 우유병, 장난감 등을 골라서 계산대에 가져가 계산대 위에 아기용품을 올려놓는다.

"이거 계산해 주세요."

계산원이 텍을 바코드로 찍으며 쇼핑백에 물건을 정성스레 담는다.

"네, 고객님. 포인트 있으세요? 적립해 드릴까요?"

미래가 웃으며 답한다.

“아니요, 그냥 계산해 주세요. 여기 안 살거든요.”
“네... 결제 도와드리겠습니다.”
계산원이 아기용품을 정성껏 담아 미래의 손에 쥐여 준다.

미래가 백화점 지하 주차장에서 차에 짐을 싣는다. 시동을 걸고 강원도 고운군 열은리1014-4로 네비를 찍고 출발한다. 차 안에서 준서에게 블루투스로 전화를 건다. 통화연결음이 울리고 준서의 목소리가 들린다.
“여보세요?”
“어, 자기야 바빠? 나 병원 다녀오는 길.”
아기의 상태가 궁금한 준서의 음성이 전화기 너머로 들린다.
“어... 병원에서 뭐래? 애기 잘 있데?”
“응 애기도 잘 놀고, 애기 집도 튼튼하데. 나 지금 백화점에서 우리 튼튼이 용품 사가지고 가고 있어. 내일 오는 거 맞지?”
“최대한 내일 갈려고 하는데...”
준서는 말끝을 흐리고, 미래는 준서의 말을 끊고 화를 낸다.
“뭐? 뭐야 ~ 나 무섭단 말이야. 내일 온다며!”
전화기 너머로 준서의 음성이 들린다.
“그래, 그래 알았어. 내일 꼭 갈게. 가야지... 근데 좀 늦을지도 몰라.”

일하면서 전화 통화를 하는 준서는 자신의 입장을 배려해 주지 않는 미래에게 서운한 마음이 든다.
“미래야, 근데 나 혼자 하는 일이 아니잖아. 팀으로 같이 움직이는데... 어쨌든 늦게라도 1차 마무리하고 며칠 쉬게 되면 이번에 꼭 올라갈게. 이참에 짐도 싸고 집도 알아보고 하자고. 내가 몇 군데 봐둔 데가 있긴 한데 급하게 구한 거라 그렇게 좋진 않아. 일단 쉬면서 가보자.”

미래는 힘들게 일하는 준서에게 갑자기 화낸 게 미안하다.
“고마워 준서 씨. 신경 많이 써줘서.”
준서는 고맙다는 말에 기분이 좋아진다.
“고맙긴 튼튼이 아빠가 이 정도는 해야지. 어쨌든 운전 조심하구. 오늘 비 온다던데, 너무 늦게 출발한 거 아니야?”
“괜찮아! 오늘 평일이라 강원도 가는 차 별로 없어. 천천히 가면 돼. 그래도 조심히 갈게. 자기도 조심해서 와.”

17. 침입자

미래는 전화를 끊고 라디오를 들으며 집으로 향한다. 헤드라이트 불빛을 받아 고속도로 이정표가 보인다. 춘천, 고운 방면이라는 이정표를 따라 운전하는데, 점점 어두워지고 빗방울이 조금씩 떨어지기 시작한다. 라디오 주파주를 이리저리 돌려보지만, 온통 날씨 예보뿐이다.

남자앵커
"다음은 기상 상황 알아보겠습니다. 김미영 기자? 오늘부터 많은 비가 예보되었다고요?"

여자앵커
"네, 그렇습니다. 오늘 오후 6시를 기점으로 전국이 태풍의 영향권에 들겠습니다. 제11호 태풍 고스가 한반도에 상륙했습니다. 고스는 순간최대풍속 초속 25m의 중형급 태풍으로 최저기압 990hPa(헥토파스칼)을 유지한 채 어제 아침 제주 남쪽 해상을 지나 계속 북동진하며, 오늘 밤에는 수도권에 상륙할 것으로 보입니다. 이로 인해 경기 북부와 강원 영서지방에 오늘 밤부터 천둥번개를 동반한 많은 비가 예상됩니다. 내일까지 예상

강수량은 150mm로 태풍고스는 내일 오후 4시쯤 동해상으로 빠져나갈 전망입니다."

남자앵커
"네 소식 잘 들었습니다. 밤사이 비 피해 없도록 각별히 주의하시기 바랍니다. 다음 소식입니다."

미래는 채널을 돌리며 중얼거린다.
"무슨 여름 다 지나고, 태풍이야.?"
미래는 라디오를 음악채널에 고정하고 음악을 들으며 운전한다. 빗줄기는 더욱 거세진다. 터널 안으로 들어가자, 빗소리가 잦아든다.
터널을 빠져나오자마자 거센 빗소리와 함께 약 3초 후, 검은 물체가 미래의 자동차에 '퍽' 하고 부딪힌다. 미래의 차가 충격에 의해 휘청하고, 옆 차선에서 오던 차가 미래의 차를 가까스로 피하며 경적을 울리고 멀어진다. 가까스로 다른 차와의 사고를 면한 미래는 갓길에 차를 세운다. 사람을 친 건 아닌지 손을 벌벌 떨며 차에서 겨우 내려 손으로 비를 막으며 확인하는데... 다행히 고라니가 쓰러져 있는 것을 확인한다. 놀란 가슴을 진정시키고 차에 다시 타서 손을 벌벌 떨며 112에 전화 한다.
"여보세요? 아 제가 운전을 하다가 고라니를 치었는데요. 좀 와주실 수 있을까요? 고라니가... 아... 다른 차들이 사고 날 거 같아서요. 예... 감사합니다."
그 짧은 사이 미래 흠뻑 젖은 미래는 목소리에 당황한 기색이 역력하다. 미래는 뭉치는 배를 움켜쥐고 자동차 시트에 머리를 기대며 놀란 가슴을 진정시킨다. 차 안에서 정신을 차린 후 다시 출발한다. 그사이 어두워진 데다가 비 때문에 백미러가 잘 보이지 않는다.
비가 거세게 내리는 늦은 밤이 되어서야 미래가 집에 도착한다. 쇼핑한 아기용품을 들고 집안으로 뛰어 들어간다. 들어가자마자 현관문을 잠그고 걸쇠를 걸고 창문에 방범창이 잠겼는지 일일이 확인한다. 소파에 기대어 눈을 감고 마음을 진정시켜 보려 애쓴다. 냉장고에서 보리차를 꺼내 마시며 집에 무사히 돌아온 것을 다행으로 생각하자 긴장이 풀어진다.
끔찍한 고라니 사체를 잊으려 애써 고개를 저어본다. 마음을 다잡으려 크게 숨을 쉬고 샤워를 하기 위해 준비한다. 화장실에 들어가서 휴대폰으로 음악을 들으며 샤워 한다. 샤워를 마치고 치마 잠옷 차림에 머리가 젖은 채로 나온 미래는 거실의 거울을 보며 머리를 턴다. 소파 위에 아기의 옷이 펼쳐져 있다. 미래가 머리를 수건으로 털며 혼잣말을 한다.
"내가 이걸 꺼냈었나?"
고개를 갸우뚱해 보지만 집에 도착해서 정신이 없었던 탓에 자신이 기억을 못 하는 것이라 여긴다. 별로 대수롭지 않게 여긴 미래는 소파 위에 있던 얇은 가디건을 걸치고 아기 옷을 이리저리 살펴보며 만족해한다. 창밖에는 비가 내리고 간간이 천둥번개가 친다. 미래가 리모컨으로 TV를 켠다. TV에서는 온통 가을 태풍피해 소식들뿐이다. 그때 미래의 핸드폰이 울린다. 번호를 확인하지만, 저장이 안 된 번호라 받지 않는다. 그러자 곧이어 문자 메시지가 도착한다.
'안녕하십니까? 고운경찰서 강력반 김병훈 형사입니다. 연락 바랍니다.'
메시지를 확인하고 미래가 전화한다.
"여보세요? 예~ 문자 주셨죠? 장미래라고 하는데요"
전화기 너머로 김병훈 형사의 목소리가 들린다.
"네 안녕하십니다. 김로라 씨 살인사건 때문에 연락 드렸습니다."
미래는 기다렸다는 듯이 묻는다.
"네, 범인은 잡혔나요? 그 마이크라는 남자요."
김병훈 형사가 난처한 듯 대답한다.
"아... 그게 이태원에서 마이크라는 남자를 검거하고 용의자 신분으로 수사를 진행하고 있긴 한데요. 본인이 죽이지 않았다고 일관되게 진술 하고 있어서, 저희도 참 곤란한 상황입니다. 증거도 불충분한 상태고요."
미래는 이해가 가지 않는다.
"왜요? 방에서 그 사람 지문이 많이 나오지 않았나요?"
김병훈 형사가 차분히 설명한다.

"예, 그렇죠. 그런데 정작 범행도구 그러니까 그 장작패는 도끼에서는... 아, 물론 나무라서 지문채취가 어렵긴 한데... 어쨌든 마이크 씨 지문이 범행도구에서는 발견이 안 된 상태구요. 마이크 씨 말에 의하면 누군가 벽장 안에서 자기들을 지켜봤다는 거예요."

형사의 설명과 함께 미래의 머릿속에는 사건이 일어나던 날 장면이 펼쳐진다.

붙박이장 안에서 빗살무늬 나무 틈 사이로 누군가가 금숙과 마이크의 섹스를 바라본다. 금숙이 마이크의 위에 올라타 신음 소리와 함께 몸을 움직이고 있다. 알몸인 금숙의 뒷모습이 붙박이 장롱 틈 사이로 보인다. 마이크는 금숙의 가슴을 어루만지며 금숙의 몸매를 감상하고 엉덩이를 붙잡고 위아래로 움직이며 "oh , yes yes..." 를 반복한다.

격정적인 섹스를 마치고 금숙과 마이크는 속옷 차림으로 누워서 이야기를 나눈다. 금숙은 일어나 화장대 앞에서 담배를 입에 물고 불을 붙이고 마이크는 그런 금숙을 바라본다. 그때 화장대 옆에 있던 붙박이장이 벌컥 열리고 라이터에 불을 켰던 금숙은 놀라서 라이터를 떨어트리고 만다.

키가 크고 활짝 웃고 있는 하회탈을 쓰고 검은 망토에 검은 장갑을 낀 남자가 장작을 팰 때 쓰는 도끼를 휘둘러 금숙을 쓰러트린다. 금숙은 피를 흘리며 바닥에 나동그라지고 남자는 도끼를 들고 마이크에게 한 걸음 한 걸음 다가간다.

마이크는 눈앞에서 순식간에 일어난 일이 믿어지지 않는다. 겁에 질린 마이크는 우선 급한 대로 범인을 피해 속옷 차림으로 도망치려 하지만, 정작 피할 곳이 없다. 할 수 없이 옷을 주섬주섬 챙겨 목숨을 걸고 창문 밖으로 뛰어내린다. 다행히 장작 창고 지붕에 떨어지고, 다시 1층으로 뛰어내려 도로변에 주차해 두었던 차를 타고 달아난다. 금숙은 머리에 피를 흘린 채 바닥에 엎드러져 있고 검은 남자는 피 묻은 도끼를 들고 한동안 그녀를 내려다본다.

김병훈 형사가 설명을 계속한다.

"그래서 마이크 씨는 너무 놀라서, 옷을 대충 주워가지고 창문으로 뛰어내려서 그대로 도주했다는 겁니다."

"네? 그게 누군데요? 그 방에는 둘만 있었는데..."

미래의 질문에 김병훈 형사가 설명을 이어간다.

"그러니까 마이크 씨가 주장하는 범인은 음... 굉장히 키가 크고, 마스크를 썼고, 검은 옷을 입었다고 아주 구체적으로 진술을 하고 있는데... 혹시 짐작 가는 사람이 있으신가 해서요."

"아뇨, 전혀요... 그런 사람이 우리 집에 있을 리가 없죠. 혹시 꾸며낸 이야기 아닐까요? 그리고 다른 사람이 로라를 죽였다면 마이크가 당연히 신고를 했겠죠. 말이 안 되잖아요."
김로라 살인사건으로 야근하던 형사가 전화로 미래에게 설명을 계속한다.
"아, 그게 저희도 취조를 했죠. 근데 그 마이크가 E2 비자로 한국에 왔다가 작년에 비자가 만료된 상태라... 불법체류자 신분인 데다가 빚도 있고 그래서 신고를 못했답니다. 그리고 마이크 씨가 그, 뭐냐 본명이 마이크 조 헤럴드라는 미국 국적 사람인데요, 일단 특정한 직업이 없고 자동차 할부를 갚지 못해서 압류된 상태고요. 김로라 씨한테 일종의 용돈 같은 걸 타서 쓴 거 같아요. 그래서 아직 범행 동기도 명확하지가 않아요. 뭐 상식적으로 경제적으로 도움을 주는 사람을 죽인다는 게 말이 안 되기도 하고..."
미래는 자기가 소개받은 마이크와 실제의 마이크가 너무 달라 혼란스럽다.
"저희한테는 강남 어학원에서 일하는 유명한 영어 강사라고 했거든요. 그런데 일정한 직업이 없다니요? 아니, 그리고 그런 사람 말을 어떻게 믿어요?"
"네... 뭐 일단 저희도 최선을 다해서 수사를 진행할 테니, 장미래 씨도 아주 사소한 것이라도 좋으니까, 무슨 단서가 될 만한 사건이 있으시거나 뭐 생각나는 게 있으시면, 이 번호로 연락을 주시면 감사하겠습니다. 아, 참 늦은 시간도 괜찮고요."
김병훈 형사가 전화를 끊자, 후배 형사가 묻는다.

"김 형사님 퇴근 안 하세요? 김 형사님이 퇴근을 안 하시니까 저도 퇴근을 못 하고 있잖아요."

김병훈 형사는 퇴근하기 위해 책상을 정리한다.

"그래, 오늘은 그만하자."

한편, 미래는 형사의 말이 계속 신경이 쓰인다.

"이 집에 누가 있었다는 거야 그럼? 참, 네... 말도 안 돼." 혼잣말로 되뇌어 본다.

이때 번개가 치며 전기가 나간다. TV가 꺼지자, 빗소리와 정적만이 감돈다. 두려움에 떨면서 핸드폰 조명 모드로 양초를 찾아본다. 그 순간 2층에서 누군가의 인기척이 들린다. 미래는 흠칫 놀라서 자신의 입을 틀어막는다. 곧이어 전기가 들어오고 미래는 1층 안방으로 숨어 조용히 문을 잠근다. 천둥번개 소리, 빗소리와 함께 들리는 2층의 발걸음 소리는 점점 가까워진다. 미래는 공포심에 전화를 들어 준서에게 문자를 남긴다.

'여보, 집에 누가 있는 거 같애. 무서워.'

준서의 답장으로 핸드폰 알림음이 울리자, 미래가 화들짝 놀라 무음으로 조절하고 준서가 보낸 문자를 열어본다.

'뭐라고? 그게 무슨 말이야. 자세히 설명해봐.'

'2층에서 발소리가 들려. 지금 이 집에 나 말고 누가 있는 거 같애.'

같이 있지 못하는 준서는 마음이 타들어 간다.

'그래서 지금 어디에 있는 거야?'
'1층 안방에 숨어있어, 무서워.'
'일단 문 잠그고 조용히 있어. 내가 경찰에 전화할게.'
동료들과 함께 야근하고 있던 준서는 미래에게 문자를 남기고, 긴장한 얼굴로 강원도 고운군 열은리 근처 지구대를 검색해 전화를 건다.
준서가 안절부절못하며 전화로 설명한다.
"여보세요? 저... 도움이 좀 필요해서요. 지금 제 아내가 집에 혼자 있는데..."

두 명의 경찰이 미래의 집 문을 두드린다.
미래가 문에 걸쇠를 건채 문을 연다.
"누구세요?"
문밖에 경찰이 서 있다.
"네... 실례하겠습니다. 장미래 씨 되시죠? 신고받고 출동했습니다."
미래는 아무일도 없는 듯 평온한 표정으로 대답한다.
"무슨... 신고요?"
"아... 남편분께서 집에 침입자가 있는 것 같다고 신고를 주셨어요. 별일 없으신가요?"
경찰의 질문에 미래가 미소를 짓는다.
"아... 죄송해요. 제가 씻다가 전화를 받아서 급하게 끊었더니... 이 사람이 제가 혼자 있어서 걱정이 됐나 봐요. 제가 남편한테 다시 전화할게요. 거리도 먼데 이렇게 와주셔서 정말 감사합니다."

경찰 둘이 서로 상의한다.

"저... 집안을 좀 들여다봐도 될까요?"

미래가 여유로운 미소를 짓는다.

"네... 얼마든지요."

미래는 걸쇠를 풀고 문을 살짝 열어 보인다. 경찰 한 명이 들어와 거실과 부엌까지 훑어 보고 안방 문도 한 번 열어본다. 경찰은 별 특이 사항을 발견하지 못하자 현관으로 향한다.

"네, 그럼 저희는 가보겠습니다. 무슨 일 있으시면 바로 연락 주시고요. 아참, 그리고 규정상 민준서 씨께도 저희가 출동한 사실을 알려드려야 하거든요. 별일 없다고 연락드리도록 하겠습니다."

"네, 감사해요. 늦은시간에..."

경찰들이 나가고 문이 닫히자 문 뒤에 숨어있던 범인의 모습이 드러난다. 미래가 문고리를 잡고 서 있고 미래가 경찰을 응대할 때 하회탈을 쓴 범인은 문 뒤에 숨어서 미래의 등에 도끼를 대고 있다.

경찰차의 불빛이 멀어지자, 미래가 재빠르게 소파로 달려가 소파에 있던 바느질 통의 가위를 집어서 범인의 허벅지를 찌른다. 범인은 도끼를 들어올리기도 전에 공격을 당하고 괴물과도 같은 날카로운 비명 소리가 들린다. 미래는 벽난로 쪽으로 넘어지듯 도망친다. 범인은 도끼를 질질 끌고 다리에 피를 흘리며 절뚝거리며, 거실 한가운데로 가더니 미래를 가격하기 위해 도끼를 높이 쳐든다. 미래가 벽난로 옆에 정리되어 있던 벽난로 청소용품 중 삽을 들고 무작정 휘두른다. 범인은 머리를 가격당하고 쓰러진다. 미래는 재빨리 벽난로 옆 창고에 숨으려고 문을 여는 순간 놀라서 멈칫한다. 그곳은 이미 여러 종류의 도끼들과 여러 표정의 하회탈이 놓여있다. 너무 놀란 미래는 2층으로 도망치고 범인은 몸을 일으킨다.

비가 거세게 내리고 간간이 천둥번개가 친다. 2층 방으로 숨어든 미래는 문을 잠근다. 그래도 불안하여 문 앞에 책꽂이, 의자, 화분 등등을 쌓아놓는다. 그 순간 번개가 치고 또다시 전기가 나간다. 몇초 후 천둥소리가 들린다. 미래가 문을 막고 있는 짐들을 기대고 거친 숨을 내쉬는데 번개가 치자 창문 밖으로 방을 들여다보고 있는 범인의 형상이 비친다. 미래는 두려움에 몸이 부르르 떨릴 정도로 비명을 지른다.

"악~~~"

미래가 범인을 가위로 찌르고 2층으로 도망쳤을 때 범인은 현관을 나와 장작 창고로 절뚝거리며 걸어갔다. 그리곤 창고에 있던 사다리를 꺼내어 2층 방 안으로 들어가려고 지붕 위로 올라가자, 순간 번개가 치고 미래가 범인의 형상을 보고 놀라 비명을 지른 것이다.

다시 전기가 들어온다. 미래는 창문 밖으로 보이는 범인의 탈을 보고 기겁을 하여 소리를 지르고 다시 문 앞에 쌓아 두었던 물건을 치우고 문을 열어 도망간다.

그 사이 범인은 창문을 통해 방으로 들어오고 도망치는 미래의 뒷머리 끄덩이를 잡아챈다. 미래가 반항하다가 육탄전이 벌어지고 그사이 둘 다 2층 계단에서 뒤엉켜 굴러떨어지고 만다. 그때 범인은 쿵 소리와 함께 바닥에 뒤통수를 박고 쓰러지고 미래는 계단을 굴러 떨어지면서 배를 부딪쳐 양수가 파열된다.

범인은 잠시 몸을 가누지 못한 채 쓰러져있고, 미처 몸을 일으키지 못한 미래의 사타구니 사이로 양수가 피와 섞여 흘러나온다. 미래는 아픈 몸을 끌다시피 하여 계단 밑 창고 공간으로 가서 문을 잠근다.

18. 탄생

정신을 차린 범인은 바닥에 떨어진 양수와 피를 보고 미래가 계단 및 창고로 숨어든 것을 직감한다. 창고문을 열기 위해 문을 흔들어 보지만 문이 잠겨있자, 도끼로 문을 부수기 시작한다.
갑자기 도끼 모서리가 나무문을 뚫고 들어온다. 미래는 두 손으로 입을 틀어막으며 공포에 떤다. 범인은 도끼로 창고 손잡이를 부스기 시작한다.
드디어 문이 열리고 범인이 미래를 죽이기 위해 도끼를 높이 쳐들지만 그곳에는 아무도 없다. 범인은 고개를 갸웃거리며 한참을 서 있는다. 그리고 다시 미래를 찾기 위해 집안을 뒤지기 시작한다.

계단 및 창고에 숨어있던 미래는 양수가 파열된 후 진통이 시작되었다. 이제 모든 게 끝이라고 생각하고 절망했다. 범인이 도끼를 들고 문을 부숴댔고 미래의 진통은 점점 심해졌다. '이제 나도 금숙이와 똑같은 죽음을 맞이하겠구나' 하는 심정으로 모든 것을 포기한 채 작은 책꽂이에 몸을 기댔는데 책꽂이가 갑자기 튀어나왔다. 책꽂이를 밀어 보니 딸깍 소리가 나고 책꽂이가 다시 들어간다. 또다시 밀어 보니 딸깍 소리와 함께 책꽂이가 튀어나왔다. 책꽂이를 당겨보니 그 뒤에 작은 공간이 나타났다. 미래는 그 속으로 가까스로 기어들어 가고 다시 책꽂이를 닫았던 것이다.

진통은 더욱 심해지고 숨쉬기도 힘들어진다. 호흡이 가빠지고 손에 힘이 들어갔다. 고통스럽지만 소리가 새어 나가지 않도록 안간힘을 쓴다. 순간 창고 문이 열리는 소리가 들린다. 미래를 찾지 못한 범인은 다시 창고 밖으로 나간다. 범인이 1층과 2층을 헤매며 미래를 찾아 돌아다닌다. 그동안 미래는 진통을 참지 못하고 가쁜 숨을 몰아쉬며 고통스러워하고, 손에는 점점 힘이 쥐어진다. 밖에서는 범인이 미래를 찾느라 문을 여닫는 소리가 들린다.

몇 번의 고통스러운 진통 끝에 아이가 나온다. 미래는 두 손으로 아이를 받아서 품에 안고 자기가 입고 있던 가디건을 벗어서 몸을 감싸준다. 그리고 자기 손으로 탯줄을 잡아당겨 태반을 꺼내고 치마 끝을 찢어 끈은 만들어 탯줄을 묶고 문틈 사이로 새어 들어오는 빛으로 아이의 얼굴을 확인한다. 아이가 숨을 제대로 쉬지 않는 것을 확인하고 능숙하게 등을 마사지한다. 아이가 숨을 쉬기 시작하고 울음을 터트린다. 그때 또다시 천둥소리가 나고 미래는 그토록 원했던 아이를 어루만지며 눈물을 흘리고 품에 꼭 안아본다.

세찬 빗소리가 들리고 간간이 천둥번개가 친다. 아이가 울기 시작하고 그 소리가 안방에서 미래를 찾고 있던 범인에게도 들린다. 범인은 다시 계단 밑 창고로 오고, 아이를 지키기 위해 미래는 범인과 마주할 결심을 한다. 이제 갓 태어난 아이를 책꽂이 뒤에 숨겨놓고, 책꽂이 밖으로 나와 기대어 앉아 범인을 기다린다.

아기 울음소리를 들은 범인이 다리를 절며 다가온다. 범인은 창고 방 앞에서 미래를 내려다본다. 미래는 무엇인가 결심한 듯한 표정을 짓는다.

"준기 씨!"

이 말을 들은 범인은 탈을 쓴 얼굴로 고개를 갸우뚱한다. 미래는 준기가 범인이라고 확신하며 타이르는 듯한 목소리로 다시 이야기한다.

"준기 씨! 우리 이러지 말아요. 동생을 지켜주고 싶은 거죠?"

범인이 갑자기 쪼그려 앉아 고개를 끄덕인다.

미래는 갑작스러운 출산 후 제대로 처치를 받지 못해 고통스러운 말투로 말을 이어간다.

"그런데... 생각해 봐요. 내가 죽으면 준서 씨가 슬퍼할 텐데... 준서 씨가 슬퍼하는 거 싫죠?"

범인이 아이처럼 고개를 끄덕인다.

"그러니까 우리 이러지 말아요."

미래는 도끼를 가리키며 차분한 말투로 범인을 달래려 시도한다.

"그거 바닥에... 내려놓아요. 자... 어서... 응?"

범인은 아이처럼 고개를 세차게 젓는다. 그리고는 도

끼를 집어 들어 일어서고 미래는 두려움에 떨며 도끼를 바라본다.

그때 남자로 보이는 양복 입은 누군가가 살며시 범인의 뒤로 다가간다. 그리고 범인이 들고 있는 도끼를 밑으로 확 잡아당겨 빼앗는다. 순간 놀란 범인은 뒤를 돌아보고 그 남자는 도끼의 날을 바꿔 넓적한 면으로 범인의 얼굴을 세게 가격하여 쓰러트린다.

앉아 있던 미래의 눈에 범인이 쓰러지자, 준기의 모습이 드러난다.

미래는 놀란 표정을 감추지 못한다.

"주... 준... 기... 씨? 어떻게... 아니, 어떻게..."

하며 말을 잇지 못한다.

사실 준기는 미래와 같은 시간에 고운군 강력반 형사에게 전화를 받았다.

"김 형사님 퇴근 안 하세요? 김 형사님이 퇴근을 안 하시니까 저도 퇴근을 못 하고 있잖아요."

김병훈 형사는 컴퓨터를 정리한다.

"그래, 오늘은 그만하자."

자리에서 일어나 집으로 가려고 책상을 정리한다. 그러다 갑자기 무엇이 생각난 듯이 다시 전화기를 들며 후배 형사에게 말한다.

"아, 참 이 형사 나 전화 한 통화만 하고 갈 테니까 먼저 퇴근해."

김병훈 형사가 어디론가 전화를 건다.

준기가 피곤한 모습으로 퇴근 후 집에 도착해서 시계를 푼다. 그때 전화가 울린다. 033으로 시작하는 번호를 보고 '강원도?' 하는 의구심으로 전화를 받는다.
"여보세요? 어디시죠?"
"아, 네 안녕하세요. 고운경찰서 강력반 김병훈 형사라고 합니다."
준기가 경계하듯 묻는다.
"그런데요? 무슨 일이시죠?"
"아... 그게, 이번에 김로라씨 살인사건을 조사하고 있는데요."
살인사건이라는 말에 준기가 놀란다.
"살인... 사건이요? 그게 누구죠? 아니, 누가요? 누가 살해당했다는 거죠?"
김병훈 형사가 설명을 이어간다.
"아, 아직 이야기 못 들으셨나요? 고운군에 동생분이 사시죠?"
"네, 그렇습니다만"
"그... 민준서 씨, 아내 장미래 씨 친구분인 김로라 씨가 친구들과 함께 장미래 씨 집을 방문했다가 살해당한 사건입니다."
형사의 설명에 준기가 놀란다.
"네? 그 집에서 살인사건이 일어났다구요?"

준기는 혼잣말로 '이 자식이 왜 얘기를 안 했지?'하고는 형사에게 묻는다.

"그래서 범인이 누군데요?"

"아, 그게... 용의자가 김로라 씨 애인인 미국 사람 마이크라는 사람인데, 일단 저희가 검거했습니다. 그런데..."

"그런데요?"

"음... 본인이 혐의를 강력하게 부인하고 있어요. 김로라 씨가 2층 방에서 살해당했는데, 그때 누군가 그 방에 숨어서 자신들을 지켜보고 있다가 살해한 것이라고 진술하고 있습니다. 그래서, 혹시 뭐 짚히는 사람이나 평소에 들으셨던 이야기나, 뭐 아무거나 수사에 도움이 될 만한 정보가 있을까 해서 이렇게 전화를 드렸습니다."

준기가 혼란스러워하며 방을 이리저리 돌아다니며 머리를 넘긴다.

"글쎄요. 제가 제수씨 친구들은 본 적이 없어서..."

"네 그렇군요. 그럼, 혹시 수사에 도움이 될 만한 게 있으시면... 아무 때나 상관없으니까, 평소에 들으셨던 얘기나 이상했던 점이라던가, 아주 작은 단서라도 있으시면 언제든지 전화를 주시면 감사하겠습니다."

형사와 통화를 마친 준기가 불안한 표정으로 제수씨에게 전화를 걸지만 받지 않는다. 다시 준서에게 전화를 걸어보지만 받지 않는다.

불안한 준기가 혼잣말을 한다.
'누가 그 집에 있었다고?'

비가 내리는 늦은 밤, 고운군으로 향하는 도로변 셀프 주유소에서 준서가 전화가 오는지도 모르고 주유를 하고 있다. 이내 전화가 끊기고 준서가 다시 차를 몰고 출발한다.

준기는 미래와 준서가 통화가 되지 않자 불안한 느낌으로 고운군으로 차를 몬다. 네비에 예상 주행 시간이 1시간 20분이라 뜬다.
급하게 차를 몰아 준서의 집에 도착한 준기는 준서의 집에서 약간 떨어진 길옆에 차를 세우고 비를 맞으며 조심조심 집으로 뛰기 시작한다. 이상하게도 야심한 시간에 현관문이 열려있다. 불길한 느낌이 든다. 조심스럽게 현관문 안을 들여다본다.
계단 창고 앞에서 검은 옷에 하회탈을 쓴 남자가 쪼그리고 앉아 있다. 준기는 들키지 않게 살금살금 다가간다. 거실 바닥이 피로 얼룩진 것을 보고 도끼를 든 남자가 범인임을 확신한다. 점점 미래의 목소리가 들려온다.
"그러니까... 우리 이러지 말아요. 그거 바닥에... 내려놓아요. 자... 어서... 응?"
범인은 어린아이처럼 고개를 세차게 젓더니 도끼를

들고 일어선다. 그때 준기가 살며시 뒤로 다가가 도끼를 아래로 낚아챈다. 범인이 뒤를 돌아본다. 순간 도끼로 죽이려다가 마음을 고쳐먹고, 도끼의 넓은 면으로 바꿔 세차게 범인의 얼굴을 가격한다. 범인은 바로 거실 쪽으로 쓰러지고 거실 바닥에 피가 고이기 시작한다.

미래는 준기를 보고 너무 놀라 말을 잇지 못한다.

"주... 준기... 씨? 어떻게... 어떻... 게"를 반복한다.

범인이 더 이상 힘을 못 쓸 것으로 생각한 준기는 도끼를 멀찌감치 던져놓고 미래를 부축해서 일으키고 소파로 가려 하지만 미래는 더 이상 걷지 못하고 거실 바닥에 주저앉는다. 준기는 피로 얼룩진 미래의 옷을 보며 걱정한다.

"괜찮아요? 어디 다친 데는요? 아기는? 아기는 괜찮아요?"

땀과 피로 얼룩진 미래가 울먹이며 대답한다.

"네... 아기는 안전해요. 그런데 어떻게 된 거예요? 준기 씨가 어떻게 여기에..."

준기는 미래를 이리저리 훑어본다.

"안 되겠어요. 그런 건 나중에 얘기하고 일단 병원에 가야... 아니, 일단 119를 불러야겠어요. 많이 놀랐죠? 이제 걱정 말아요."

준기가 미래를 안심시킨다. 주머니에서 전화를 꺼내 119를 누르는데, 준기의 뒤에서 괴물 같은 날카로운 소리를 내며 범인이 도끼를 휘둘러 앉아 있는 미래를 향해 달려온다. 미래는 비명을 지르며 앉은 채로 뒷걸음질 치고, 준기는 전화기를 떨어트리고 몸으로 범인을 막는다. 준기는 범인과 같이 넘어지게 되고 범인이 휘두른 도끼의 끝이 미래의 허벅지를 스치고 미래는 피를 흘린다. 준기와 같이 넘어진 범인은 또다시 도끼를 들고 괴성을 지르며 미래를 향해 달려들고 준기는 범인의 뒤에서 몸을 던져 범인의 두 발을 붙잡아 넘어트린다.

같은 순간 미래는 벽난로 옆에 놓인 여러 도구들 중 바비큐 꼬치를 집어 들고, 뒤도는 순간 넘어지던 범인은 그대로 미래에게 안겨 쓰러지고 날카로운 꼬치는 그대로 범인의 심장을 관통한다.

준기는 자신이 붙잡은 것이 범인의 발이 아니라 높이가 30센티도 넘는 신발인 것을 보고 의아해한다. 신발은 나동그라지고 준기는 피를 흘리며 쓰러진 범인에게 다가가 찢어진 망토 사이로 손을 넣어 망토를 찢어보는데 그 속에는 근육 모양의 스펀지 바디가 있다.

놀란 준기는 범인을 확인하기 위해 범인을 돌려 자신의 무릎에 뉘이고 탈을 벗겨본다. 그때 화상으로 얼굴을 알아볼 수 없는 흉측한 모습의 은옥의 얼굴이 드러나고 미래는 차마 그 모습을 볼 수 없어 고개를 돌린다.

준기가 놀란 표정을 감추지 못한다.

"어... 어... 엄마!"
준기가 죽어가는 엄마를 보며 절규한다.
"엄마! 왜 그랬어. 왜! 엄마!"

19. 망상

준기는 엄마가 살아있길 바라며 흔들어 보며 괴로움에 오열한다. 허공을 응시하는 은옥의 눈동자가 속으로 과거의 상처가 스쳐 간다.

은옥은 8월의 더운 날씨에도 불구하고 얼굴을 스카프로 동여매고 시장에서 쭈그리고 앉아 대야에 생선을 담아 팔고 있다.

멀리서 준서가 현아와 손잡고 보육원으로 돌아가는 모습이 보인다. 은옥은 그새 부쩍 큰 준서를 멀리서 바라본다. 현아는 오토바이와 차들을 피해 준서를 길가로 인도한다. 순간 현아와 눈이 마주치고 은옥의 환각이 시작된다.

현아는 준서에게 어깨동무하고 뒤를 돌아보며 코웃음을 치고 은옥을 비웃는다. 끝까지 눈을 떼지 않으며 마귀와 같은 살벌한 눈으로 은옥을 바라본다. 은옥은 현아가 준서를 빼앗아 간다는 망상을 한다. 분노를 참지 못하고 현아를 찌르기 위해 칼을 쥐고 일어서는데 그때 손님이 온다. 손님이 생선을 손가락으로 가리키며 묻는다.

“아줌마, 이거 얼마예요?”

은옥은 순간 정신을 차리고 손님을 바라본다.
"네? 이거요?"
은옥이 생선을 다듬으며 준서를 다시 찾아보지만 보이지 않는다.

뒤늦게 고운군 전원주택으로 준서의 차가 도착한다. 불안한 마음으로 급하게 차에서 내리는 준서에게 엄마를 부르짖는 울음소리가 들린다. 준서는 '엄마'라는 외침을 듣고 놀라며 열린 현관으로 달려 들어간다.
"엄.... 마? 엄마?"
거실 바닥은 피로 얼룩져 있고 형은 엄마를 안고 절규하고 있다. 엄마는 검은 옷을 입고 심장에 날카로운 쇠가 꽂혀있고, 피투성이가 된 미래는 벽난로 앞에서 입을 틀어막고 울고 있다. 준서는 이 상황을 믿을 수가 없다.
"형! 이게 뭐야? 엄마가 왜 여기 있어?"
준기가 계속해서 오열한다. 준서가 준기를 흔들며 절규한다.
"형. 어떻게 된 일이냐고! 말해봐! 엄마!"
눈앞에 펼쳐진 상황을 믿을 수 없는 준서는 눈물을 흘리며 엄마를 흔들며 불러본다.
"엄마! 엄마?"
아직 숨이 붙어있는 은옥은 준서의 목소리에 반응하며 힘겹게 입을 연다. 입에서는 피가 흐른다.

"주... 운... 서... 야, 우리 준서 와... 았어?, 우리 준서 많이 컸네? 그때... 그때..."
준서는 엄마의 죽음을 직감하고 눈물을 흘리며 흐느낀다.
"응, 엄마 나 여기 있어."
준서는 은옥의 얼굴을 쓰다듬으며 흐느낀다.
"그때 뭐? 얘기해 엄마, 나 듣고 있어."
은옥이 힘겨운 목소리를 이어간다.
"그... 때... 죽여버렸... 어야... 했..."
이 말을 마치지 못하고 은옥은 고개를 떨군다.
준서는 죽은 엄마를 끌어안고 오열한다.
"엄마! 엄마!"

동이 틀 무렵 파란 지붕 집의 할머니가 밤새 내린 빗물을 고무대야에 받아 걸레를 빤다. 문득 미래의 집 쪽을 바라본다. 구급차와 경찰차가 보인다. 방호복을 입고 KCSI라고 쓰인 조끼를 입은 경찰들이 은옥의 시체를 하얀 천으로 덮고 차에 싣는다. 은옥은 얼굴이 가려진 채 실려가고, 미래와 갓 태어난 아기도 구급차에 옮겨지고 준서와 경찰이 몇 마디 주고받더니 준서가 구급차에 같이 동승한다.
방호복을 입고 KCSI라고 쓰인 조끼를 입은 경찰들이 집 안팎의 현장 사진을 찍으며 준기에게 상황을 물어보고 메모하며 분주히 움직인다.

파란 지붕 집 할머니가 멀리서 그 광경을 바라보며 혼잣말을한다.

"또 송장을 치렀구만... 내가 조심하라고 그렇게 일렀는데두..."

할머니는 걸레를 짜며 일어선다.

"다음엔 또 누가 이사를 오려나"

그 말을 남긴 채 할머니는 집에 들어간다.

20. 이끼정원

몇 년 후 12월 스산한 서울의 한 거리를 준서가 걷고 있다. 엄마를 잃은 슬픔과 죄책감에서 완전히 벗어나지 못한 준서는 어두운 표정으로 전화하며 길을 가고 있다. 거리 양옆으로 상점들이 있다.

준서는 다음 프로젝트에 대해서 사무적으로 통화하며 길을 걷는다.

"네네... 네... 알겠습니다. 그때까지 가능하도록 해야죠. 일단 현장에서 뵙고 다시 말씀드리도록 하겠습니다."

그렇게 무미건조하게 전화를 받던 준서는 어느 상점 앞에서 발을 멈춘다. 상점 안은 온통 초록색이다.

초겨울의 스산한 분위기와 대조되는 따듯한 분위기의 상점을 보고 준서는 무엇에 홀린 듯이 전화를 끊고 상점 안으로 들어간다.

점원이 밝은 목소리로 준서를 맞이한다.

"어서 오세요~ 뭐 찾으시는 게 있으세요?"

준서는 한겨울에 이런 곳이 있나? 하는 어리둥절한 표정으로 대답한다.

"아니요, 그냥 너무 예뻐서 들어와 봤어요."

점원이 환하게 웃는다.

"아, 그러셨구나. 구경해 보세요. 이끼로 꾸민 이끼 테라리움이에요."

준서는 천천히 한 발짝씩 옮기며 이끼 테라리움을 감상한다. 촉촉한 이끼 사이로 자란 화초를 만져보기도 하며, 엄마가 이끼를 가꾸던 기억을 떠올린다.

넋 놓고 이끼를 바라보는 준서에게 점원이 설명한다.

"이끼가 생각보다 키우기가 쉬워요. 아파트 사시죠?"

준서는 점원의 질문에 그제야 정신을 차린 듯하다.

"네? 아... 네."

"요즘은 화초보다 이끼가 더 잘 나가요. 강습받으시면 직접 만드실 수도 있구요. 구매도 가능하세요. 뭐, 맘에 드는 게 있으세요?"

준서는 멍하니 한곳을 응시한다.

"이거... 하나... 주세요."

"아... 이거요? 이게 요즘 선물용으로 잘 나가요. 유리 안으로 비치는 이끼들이 정말 예쁘죠? 포장해 드릴까요? 선물하실 건가요?"

준서는 멋쩍은 표정을 지으며 있지도 않는 엄마 핑계를 대본다.

"아... 네... 엄마... 가 이끼를 좋아해서요."

"네 조금만 기다리세요. 깨지지 않게 잘 포장해 드릴게요."

점원은 테이블을 가리키며 안내한다.

"이쪽에 앉으셔서 차도 한잔하시고 다른 제품들도 구경도 하고 계세요."

준서는 테이블에 앉아 따듯한 차를 마신다. 아름답게 진열되어 있는 이끼 테라리움을 하나씩 하나씩 바라보며, 엄마가 가꾸던 투박한 이끼들을 떠올려본다.
춥고 스산한 겨울의 서울 거리를 걸어가던 준서는 갑자기 발걸음을 멈추고 종이백에 들어있는 이끼 테라리움을 들여다본다. 엄마에 대한 추억으로 입가에 미소가 번진다.

몇 년 후 초여름, 준서와 미래가 아이를 키우는 서울의 새 아파트 풍경이다.
작은방은 이끼 정원으로 꾸며져 있다.
어두운 조명과 미니 분수대 등의 소품으로 얼핏 보면 깊은 숲속에 와있는 느낌이 든다.
그밖에 거실과 부엌, 방, 현관 구석구석에 이끼 테라리움이 놓여있다.
거실 한복판에서 준서는 주변을 어질러 놓은 채 새로운 이끼 테라리움을 꾸미고 있다.
미래는 8살가량 되어 보이는 딸 소영이를 씻기고 딸과 함께 욕실에서 나온다.

미래는 짜증스런 목소리로 준서를 타박한다.
“여보! 설마 또 샀어? 또 새거 꾸미는 거야? 자기야, 그만 좀 해. 이제 우리 집에 놓을 데도 없어! 한두 개도 아니고 정신 사납게 이게 다 뭐야 진짜!”

준서는 미래의 타박이 들리지 않는지 별 반응이 없다.
딸 소영이 수건으로 머리를 닦으며 엄마에게 묻는다.
"엄마! 아빠 내일 가는 거 아니야?"
소영은 아빠에게 다가가 참견한다.
"아빠! 내일 비행기 타고 출장 간다며!"
준서는 이끼 테라리움 꾸미는 데 집중하느라 쳐다보지도 않으며 대답한다.
"그러니까 오늘 마무리를 해야지. 소영아, 이쁘지?"
소영이 아빠 옆에 앉아 이끼 테라리움을 유심히 관찰한다.
"응, 아빠 엄청 이쁘다."
준서는 그제야 딸의 얼굴을 바라본다.
"그치? 이쁘지? 근데 엄마가 자꾸 아빠 방해해."
준서는 소영의 칭찬에 금세 기분이 좋아진다.
소영이 밝게 웃는다.
"아빠! 나도 해보고 싶어. 응? 나도 시켜줘."
미래는 저녁 식탁을 차리며 준서에게 당부한다.
"자기야, 내일 소영이 치과 알지? 밤 비행기라며, 치과 2시 예약이야! 잊으면 안 돼."
준서가 소영의 얼굴을 사랑스럽게 쓰다듬는다.
"소영아, 내일 학교 끝나면 피아노 가지 말고 학교 정문 앞에 서 있어. 아빠 차 타고 치과 가게 알았지?"
"응. 아빠!"

21. 데자뷰

미래는 출산 후 동네의 작은 내과에서 근무하고 있다. 김 내과라고 쓰인 유리문을 열고 들어가는 여자의 뒷모습이 보인다. 미래가 환자를 응대한다.

미래가 접수대에서 컴퓨터를 조작하며 환자의 진료접수를 돕는다.

"신분증 주시겠어요?"

환자는 지갑에서 신분증을 꺼내 내민다.

"여기요."

미래가 사무적으로 환자에게 묻는다.

"어디가 불편해서 오셨어요?"

"음... 머리가 아프고 몸살기가 있는 것 같아서요."

미래는 환자의 귀에 체온계를 갖다 댄다.

"열 좀 잴게요."

미래가 체온계를 확인한다.

"음... 열이 있으시네요. 38도 4부에요. 앉아서 기다리시면 불러드릴게요."

환자가 대답하며 소파로 간다.

"네."

간호조무사가 커피를 두 잔을 타오며 미래의 옆자리

에 앉는다.
"선생님, 커피 드세요."
미래 커피를 받아 마신다.
"땡큐!"
미래는 시계를 보며 걱정한다.
"잘 갔나 모르겠네..."
"어딜가요?"
간호조무사가 묻자, 미래가 대답한다.
"아... 우리 딸이 오늘 아빠랑 치과 가기로 했거든. 근데 잘 갔나 모르겠네."
간호조무사가 감탄한다.
"아, 참! 선생님 딸 있으시다 그랬죠? 아빠랑 병원 가는 거예요? 아빠 완전 자상하시다."
미래는 간호조무사를 보고 미소를 짓는다.
"응, 아빠가 이뻐하지. 어렵게 가진 애 거든. 낳을 땐 더 어려웠구..."
"아... 난산이셨구나!"
간호조무사가 안타까워한다.
미래는 간호조무사의 난산이라는 말에 잠시 과거 그 날의 기억이 스친다. 하지만 애써 밝은 모습으로 웃으며 대답한다.
"뭐, 딸 하나니까 아무래도 각별하긴 하지."
"얼른 전화해 보세요. 걱정만 하지 마시구."

간호조무사의 미래가 핸드폰을 든다.
"그럴까?"

준서는 한교초등학교 앞 찻길 건너편에서 소영을 기다린다. 싱그러운 6월, 방과 후에 아이들이 하나둘 교문 밖으로 나온다. 준서는 차를 대고 소영이 나오기를 기다리지만 한참을 기다려도 소영이 나오지 않는다. 준서가 시계를 보며 소영을 놓친 건 아닌지 걱정한다.
'뭐야, 벌써 나간 건 아니겠지?'
그 순간 소영이 같은 반 남자 친구와 즐겁게 이야기하며 나온다. 준서가 소영을 부르고 손을 흔들어 보지만 소영은 듣지 못하고 피아노 학원으로 향한다. 준서는 아이들을 해치고 소영에게 다가가려 하는데, 소영의 옆에서 같이 가던 남자 어린이와 눈이 마주친다. 준서는 갑자기 소영의 친구가 소영을 자신에게서 빼앗으려 한다는 망상을 일으킨다. 어깨 위에 손을 얹고 에스코트하는 남자 어린이는 고개를 뒤로 향해 준서를 보고 야릇하게 비웃으며, 마귀 같은 날카롭고 사나운 눈으로 준서를 응시한다.
그때 준서의 전화기가 울린다. 전화기를 들고 있던 준서는 미래의 전화임을 확인하지만 받지 않는다. 소영을 지켜야 한다는 생각을 한 준서는 학생들을 해치고 다시 딸과 친구를 찾아본다. 아이들 틈에서 가까스로 찾아낸 소영과 그 옆의 친구가 보인다. 준서는 소영을 보호하기 위해 그 옆의 남자아이를 죽여야 한다는 망상을 한다. 한 손에서는 전화기의 진동이 계속 울리고 한 손은 분노의 주먹을 쥐는 준서의 숨이 가빠지기 시작한다. 준서가 소영에게 다가가려 하지만 신호등은 빨간불로 바뀐다. 하교 시간 학교 앞은 오가는 아이들로 분주하다. 소영이 납치라도 된 듯한 불안을 느끼는 준서의 거친 숨소리가 더욱 크게 들려온다. 그 남자아이는 걸어가며 준서를 향해 비웃는 듯한 미소를 보낸다.

남학생의 눈동자는 마귀처럼 변해가며 점점 커지고, 그 눈동자 안으로 모든 것이 빨려 들어간다.

끝.

이끼정원

지은이 : 임지현
펴낸이 : 이제현
발행일 : 2024년 12월 12일
ISBN : 979-11-93256-34-3(03810)

펴낸곳 : 잇스토리
마케팅 : 매드플랙션
출판신고 : 제 2023-000021호
이메일 : it-story@b-camp.net

잇스토리는 영상 IP 전문 프러덕션입니다.
영화/드라마와 소설의 경계선에서 이야기를 찾아가고 있습니다.
문을 두드려 주세요. 문의와 제안은 언제나 즐겁습니다.

홈페이지 : http://itsastory.modoo.at
인스타그램 : http://instagram.com/it_story.kr
블로그 : http://blog.naver.com/it-story